D0774735

AMSTERDAM
EN QUELQUES JOURS

ZORA O'NEILL

Amsterdam en quelques jours

1re édition, traduit de l'ouvrage *Amsterdam Encounter*
(1st édition), october 2008

© Lonely Planet Publications Pty Ltd 2008
Tous droits réservés

Traduction française :

place des éditeurs

Hachette
Belfond
Convergences
Hors Collection
Lonely Planet
Omnibus
Le Pré aux Clercs
Presses de la Cité

© **Lonely Planet 2009**,
12 avenue d'Italie, 75627 Paris Cedex 13
☎ 01 44 16 05 00
🖳 bip@lonelyplanet.fr
🖳 www.lonelyplanet.fr

Dépôt légal
Mars 2009
ISBN 978-2-84070-862-9

Responsable éditorial Didier Férat
Coordination éditoriale Carole Haché
Coordination graphique Jean-Noël Doan
Maquette Caroline Donadieu
Cartographie Nicolas Chauveau
Couverture Jean-Noël Doan et Pauline Requier
Traduction Nathalie Berthet et Julie Marcot
Merci à Dolorès Mora pour son travail sur le texte

Toutes les photos sont sous le copyright des photographes
sauf indication contraire. La plupart des photos publiées
dans ce guide sont disponibles auprès de l'agence
photographique Lonely Planet Images :
🖳 www.lonelyplanetimages.com

Imprimé par L.E.G.O. Spa
(Legatoria Editoriale Giovanni Olivotto)
Imprimé en Italie

Lonely Planet et le logo de Lonely Planet sont des
marques déposées de Lonely Planet Publications Pty Ltd.

Tous droits de traduction ou d'adaptation, même partiels,
réservés pour tous pays.

Lonely Planet n'a cédé aucun droit d'utilisation
commerciale de son nom ou de son logo à quiconque, ni
hôtel ni restaurant ni boutique ni agence de voyages. En
cas d'utilisation frauduleuse, merci de nous en informer :
🖳 www.lonelyplanet.fr

COMMENT UTILISER CE GUIDE
Codes couleur et cartes

Des symboles de couleur représentant les sites et les établissements figurent dans les chapitres et sont reportés sur les cartes correspondantes afin de les localiser rapidement. Les restaurants, par exemple, sont indiqués par une fourchette verte.

À chaque quartier correspond aussi une couleur spécifique, reprise dans les onglets du chapitre qui lui est consacré.

Les zones en jaune sur les cartes désignent des "secteurs dignes d'intérêt" (sur le plan historique ou architectCarole Hachée en raison de la présence de bars et de restaurants, etc.). Nous vous consCaroline Donadieudieument de les explorer.

Prix

Les différents prix dans ce guide (par exemple 10/5 € ou 10/5/20 €) correspondent aux tarifs adulte/enfant et adulte/enfant/famille.

Vos réactions ? Vos commentaires nous sont très précieux et nous permettent d'améliorer constamment nos guides. Notre équipe lit toutes vos lettres avec la plus grande attention et prend en compte vos remarques pour les prochaines mises à jour.

Pour nous faire part de vos réactions, prendre connaissance de notre catalogue et vous abonner à Comète, notre lettre d'information, consultez notre site web : **www.lonelyplanet.fr**

Nous reprenons parfois des extraits de notre courrier pour les publier dans nos produits, guides ou sites web. Si vous ne souhaitez pas que vos commentaires soient repris ou que votre nom apparaisse, merci de nous le préciser. Pour connaître notre politique en matière de confidentialité, connectez-vous à : **www. lonelyplanet.fr/confidentialite/index.cfm**

ZORA O'NEILL

À sa sortie de l'université, Zora O'Neill a travaillé à
Amsterdam dans un café qui jouxtait un théâtre
d'improvisation (l'actuel Boom Chicago ; p. 92,
haut lieu de la comédie). En plus de servir des
sandwichs grillés, elle devait aussi renseigner les
touristes – étonnant pour quelqu'un qui venait
d'arriver… Si vous vous êtes perdu en cherchant un
itinéraire cycliste pour Marken "très facile à trouver"
en 1994, Zora en est désolée. Heureusement, elle
connaît aujourd'hui très bien la ville, où elle a des
parents et des amis à qui elle rend visite tous les ans.

Chaque fois, elle commence par manger un *broodje
haring* (p. 89). Le reste de l'année, elle vit à Astoria, dans le Queens, un district
de New York, où elle écrit sur la gastronomie et le voyage. Auteur de guides
depuis 2003, c'est sa deuxième collaboration avec Lonely Planet, après le
chapitre *Le Caire* du guide *Égypte* 2008.

REMERCIEMENTS

Mille mercis à Constant Broeren, Bas Bruijn, Edwin Oppedijk, Mark Morse,
Rod Ben Zeev, Lieselotte Nooyen et Rinkie Dabekaussen. J'adresse un
remerciement particulier aux personnes que j'ai interviewées pour m'avoir
permis de voir la ville autrement, à mes amis amstellodamois pour m'avoir fait
partager leurs petits secrets, et à Peter, pour avoir guidé la barque. Enfin, chez
Lonely Planet, merci à Caroline Sieg, qui m'a guidée elle aussi, et à Jeremy
Gray, l'auteur du précédent guide *Amsterdam*.

À nos lecteurs Un grand merci aux voyageurs qui nous ont écrit pour nous livrer conseils et anecdotes, en particulier
à Brian Beveridge, Shoaban Nair, Charlotte Nikolaeva, Ophelia Rubinich, Izach Sarid, Ailene Wessel et
Angela Williams.

Photo de couverture : Cycliste traversant un pont au cœur de la ceinture des canaux d'Amsterdam © Formcourt /
Alamy. Photos à l'intérieur p. 22, p. 24, p. 155, p. 157 Netherlands Board of Tourism & Conventions ; p. 21, p. 154
Eduard Bergman (NTBC) ; p. 49, p. 71, p. 87, p. 107 Zora O'Neill. Autres photos de Lonely Planet Images et Will Salter
excepté les suivantes : p. 8 Christian Aslund ; p. 4 Paul Beinssen ; p. 28 Simon Foale ; p. 40, p. 52, p. 64, p. 94, p. 98,
p. 116, p. 118, p. 141 Martin Moos ; p. 11, p. 163 Richard Nebesky ; p. 36 Zaw Min Yu.

Toutes les photos sont sous le copyright des photographes sauf indication contraire. La plupart des photos publiées
dans ce guide sont disponibles auprès de notre agence photographique Lonely Planet Images :
www.lonelyplanetimages.com.

À vélo : découvrez les rues d'une ville où ce moyen de transport est roi

SOMMAIRE

Pourquoi les guides Lonely Planet jouissent-ils d'une réputation exceptionnelle ? La réponse est simple : nos auteurs sont des passionnés de voyage qui travaillent en toute indépendance et ne bénéficient d'aucune rétribution en échange de leurs commentaires. Ils ne se contentent pas d'Internet ou du téléphone, mais parcourent les quatre coins du monde et visitent tous les sites, des plus populaires aux moins fréquentés. Soucieux de communiquer des renseignements précis et fiables, ils se rendent en personne dans des milliers d'hôtels, de restaurants, de cafés, de bars, de galeries, de palais et de musées.

BIENVENUE À AMSTERDAM !

Le soir tombe et peint le ciel en bleu indigo.
Tandis qu'un bateau glisse le long du
Prinsengracht, les lumières blanches des ponts
se reflètent dans l'eau sombre, et les fenêtres des
maisons à pignons diffusent un doux halo doré.

La soirée s'annonce radieuse dans cette cité magique où les édifices du
XVIIe siècle se tiennent côte à côte comme de vieux amis, et dont les habitants
sont appréciés pour leur mentalité progressiste.

Amsterdam est connue mondialement pour son approche pragmatique
des drogues douces et de l'industrie du sexe. Dès que l'on passe quelques
jours sur place, on remarque très vite combien cette attitude sied à cette
ville qui met un point d'honneur à ce que ses habitants s'épanouissent dans
l'harmonie – qu'il s'agisse d'ouvrir une boutique de brosses à dents ou de
faire du roller seulement vêtu d'une coquille incrustée de strass…

Les Amstellodamois saisissent le moindre prétexte pour faire la fête
jusqu'à l'aube, et les discothèques et salles de concert, qui accueillent des
artistes du monde entier, ne désemplissent pas. Si l'on ajoute à cela une scène
design florissante et la semaine de la mode biannuelle, on peine à croire
qu'Amsterdam ne compte que 750 000 âmes.

La ville est toutefois en expansion, comme en témoignent les échafaudages
visibles un peu partout. Avec une nouvelle ligne de métro en construction
et un port ou fleurit chaque mois un nouveau joyau architectural, c'est une
métropole qui bouge, et vite. Il y a quelques années, des débats nationaux
houleux, deux assassinats très médiatisés et des manifestations contre
l'immigration ont provoqué un certain malaise. Mais les Amstellodamois
sont d'un naturel bien trop décontracté pour qu'une crise dure longtemps.
Ils fréquentent toujours avec autant d'assiduité leurs bars à l'éclairage tamisé,
leurs discothèques, et les plus excentriques n'ont guère mis de temps à
retrouver leurs perruques et bottes à talons compensés. Bref, ils continuent
comme avant, tranquillement. Il ne tient qu'à vous de vous joindre à eux…

En haut à gauche Une plongée dans l'ambiance du *coffee shop* Dampkring (p. 53) **En haut à droite** Coucher de soleil sur le canal Groenburgwal au cœur de la ceinture des canaux sud **En bas** Petite pause devant le Koninklijk Paleis (p. 42)

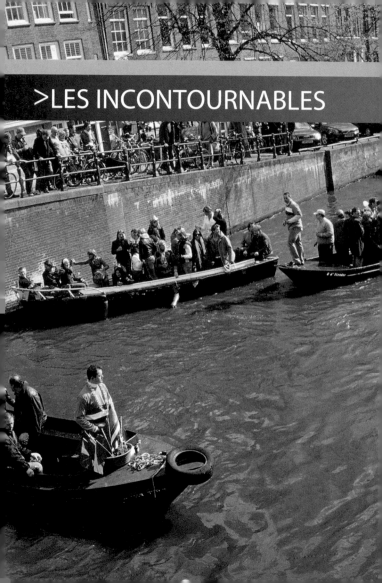

>LES INCONTOURNABLES

Tout d'orange vêtus, les Amstellodamois célèbrent Koninginnedag (fête de la Reine ; p. 23) le 30 avril

>1 RIJKSMUSEUM

RENCONTRE AVEC LES TOILES DE MAÎTRES

Le Rijksmuseum (p. 98), créé alors que le pays était l'une des nations les plus riches au monde, est la malle aux trésors des Pays-Bas. Ses collections comptent plus d'un million d'objets d'art, dont 5 000 tableaux parmi lesquels les œuvres d'artistes du Siècle d'or hollandais et des toiles de maîtres européens. L'édifice monumental de 1885 est en cours de rénovation (l'ouverture est prévue pour 2012). D'ici là, seule une petite partie du musée est visible dans une aile latérale. Les amateurs d'art seront certainement déçus ; toutefois, la visite de la collection limitée (prévoir environ 2 heures) reste une expérience mémorable.

On trouve ici de grands chefs-d'œuvre de la peinture : portraits de Frans Hals, scènes du quotidien de Jan Steen, tableaux de Johannes Vermeer et peintures animalières de Paulus Potter. Avec un peu de chance, vous pourrez admirer le cygne menaçant de Jan Asselijn – mais les collections exposées, dont de délicates faïences et des maisons de poupées des XVIIe et XVIIIe siècles, changent plusieurs fois par an. Une œuvre cependant reste exposée en permanence. Il s'agit de la *Ronde de nuit* de Rembrandt, tableau novateur, commandé en 1642 par l'association des arquebusiers d'Amsterdam.

>2 MAISON D'ANNE FRANK

LA CACHETTE DE L'ADOLESCENTE AU SORT TRAGIQUE

La jeune Anne Frank n'aurait été qu'une victime anonyme de l'Holocauste si l'on n'avait retrouvé son fascinant journal intime, écrit durant les deux années où elle vécut cachée dans l'arrière-boutique de son père, en compagnie des siens et d'une autre famille, pour échapper aux persécutions nazies. Traduit en près de 60 langues, adapté au théâtre et au cinéma, son journal reflète les états d'âme d'une adolescente ordinaire emportée dans la tourmente de l'Histoire. Les deux familles furent dénoncées à la Gestapo, et Anne mourut au camp de concentration de Bergen-Belsen quelques mois avant la fin de la guerre.

L'*achterhuis* ("arrière-salle"), annexe secrète dissimulée derrière une bibliothèque coulissante, est au cœur de la visite de l'Anne Frank Huis (p. 62). C'est dans cet endroit sombre et mal aéré que les Frank vécurent, observant le plus complet silence en journée, collant des photos de stars hollywoodiennes sur les murs et lisant Dickens, avant d'être mystérieusement dénoncés et envoyés dans les camps de la mort. Les pièces étroites, aux fenêtres condamnées, sont dépourvues de meubles, à la demande du père d'Anne, Otto, le seul à avoir survécu aux camps. Mais l'on voit encore des souvenirs poignants – les marques de la taille des enfants crayonnées sur le chambranle de la porte, par exemple. La maison est devenue un musée depuis 1957 et possède aujourd'hui une nouvelle aile consacrée aux problèmes actuels de racisme et d'antisémitisme.

> 3 DE WALLEN

UNE PLONGÉE CANAILLE DANS LE QUARTIER ROUGE

L'office du tourisme souhaiterait qu'il en soit autrement : pourtant le quartier appelé De Wallen ("les Quais") est emblématique d'Amsterdam. Le plus fascinant dans le quartier Rouge (connu aussi sous le nom de Red Light District) est sans doute qu'il n'a rien d'un repaire de soudards sordide. Certes, les jeunes hommes en virée le week-end ne donnent pas forcément dans le bon goût, mais l'endroit n'en demeure pas moins le "quartier du vice" le plus sûr au monde.

Pour les Néerlandais, la légalisation de la prostitution n'est qu'une simple question de bon sens, tout comme la marijuana en vente dans les *coffee shops*, lesquels alternent avec les pubs, les sex-shops et autres salles de peep-show. On éprouve cependant une drôle d'impression en posant les yeux sur les femmes dans les vitrines, éclairées par des lumières rouges mais aussi par des noires qui soulignent la blancheur de leur lingerie (abstenez-vous de les photographier : par respect, d'abord, et pour ne pas voir votre appareil jeté dans un canal par les gardes du corps de ces dames).

Le quartier n'est toutefois pas très différent des autres. On y trouve des familles et des résidents plus âgés, des cafés douillets et de ravissants canaux. Visitez-le une première fois en milieu de matinée, lorsqu'il s'éveille et que les prostituées bavardent depuis leurs devantures avec les vieilles dames en promenade. Faites une halte chez De Bakkerswinkel (p. 47) ou Hofje van Wijs (p. 48) pour déguster une viennoiserie et un *koffie verkeerd* (café au lait), puis visitez l'Oude Kerk (p. 43), plus ancien lieu de culte de la ville. Participez à la

---

LA FIN DU QUARTIER ROUGE ?

Au début de 2008, la municipalité a annoncé sa volonté de "rétablir l'équilibre" à De Wallen, arguant de la trop grande influence du crime organisé sur la prostitution et les *coffee shops*. La ville se propose ainsi d'être un garant pour les investisseurs qui achèteraient les édifices consacrés à la prostitution. Les véritables décisions quant à ces bâtiments ne seront prises qu'en 2009 mais "il n'est pas question de les vendre à McDonald's ou Starbucks", nous a assuré un officiel. Ce projet ne sonnera pas pour autant le glas des vitrines aux lanternes rouges et n'aura pas d'effets visibles, pour le visiteur, avant plusieurs années.

visite guidée du Prostitution Information Centre (p. 43), et terminez par un verre de *jenever* (genièvre) au Wijnand Fockink (p. 56). Il faut ensuite revenir en soirée, lorsque tous les néons sont allumés, et se faufiler dans Trompettersteeg, la plus étroite ruelle de la ville (1 m de large ; son entrée est au sud de l'Oude Kerk). Après quoi, assistez à un *sex show* au Casa Rosso (p. 56), ou repliez-vous sur une sortie plus classique tels le Winston Kingdom (p. 57) ou In 't Aepjen (p. 54).

De Wallen n'est pas le seul quartier Rouge d'Amsterdam. On trouve des vitrines dans Spuistraat, et dans Ruysdaelkade à De Pijp, parsemés de *coffee shops* (p. 159). Mais seul De Wallen dégage cette atmosphère si particulière, mêlant une longue histoire à ses rues commerçantes.

>4 NEGEN STRAATJES

SHOPPING DANS LES "NEUF PETITES RUES"

Les Negen Straatjes incarnent l'essence même du plaisir d'acheter. Ces neuf ruelles, qui s'étendent chacune sur un pâté de maisons à peine, forment un entrelacs reliant les trois principaux canaux de la ceinture ouest, au sud de Raadhuisstraat. Leurs nombreuses boutiques sont de taille réduite, et beaucoup sont spécialisées : pour acheter des rubans de velours, rendez-vous chez HJ Van de Kerkhof (p. 66), pour des brosses à dents chez De Witte Tanden Winkel (p. 65) et pour des livres d'art uniques chez Boekie Woekie (p. 64). La mode n'est pas en reste : on trouve les vêtements de créateurs belges et néerlandais chez Van Ravenstein (p. 68), des chaussures étonnantes chez Hester Van Eeghen (p. 65) et des vêtements vintage chez Laura Dols (p. 67). Comme il est impossible de citer toutes les merveilleuses boutiques du quartier, nous en avons sélectionné quelques-unes et vous laissons le plaisir de découvrir les autres par vous-même (surtout celle du docteur de poupées !).

Après avoir arpenté ces petites rues, nul doute que vous aurez besoin de reprendre des forces dans l'un des nombreux cafés du coin. Offrez-vous un en-cas dans un cadre chic au Wolvenstraat (p. 77) ou profitez de l'ambiance paisible de De Pels (p. 74). Attention : les commerçants des Negen Straatjes aimant eux aussi se reposer, nombre de boutiques sont fermées le lundi, voire le mardi. Mieux vaut donc prévoir sa séance shopping à partir du milieu de la semaine.

>5 DESIGN NÉERLANDAIS
L'ART DE DÉTOURNER ET DE RÉINVENTER DES OBJETS

Construite sur pilotis et sillonnée de paisibles canaux, Amsterdam présente une solution élégante à un problème pratique. Il ne faut donc pas s'étonner que le design néerlandais soit réputé pour son approche créative des objets du quotidien. Quelques grands noms (Hella Jongerius, Gijs Bakker et Marcel Wanders) sont mondialement connus, mais les meilleures créations émanent parfois de collectifs tels Moooi, basé à Breda, ou encore Droog (p. 126), dont les membres ne sont pas nécessairement néerlandais mais ont le talent de détourner et de réinventer les objets, de s'amuser. Les créations de Droog allient l'humour surréaliste (un lustre de 80 ampoules amassées comme des œufs de poisson) au côté pratique, comme en témoigne le parapluie au manche décentré sûrement inspiré par le climat pluvieux.

Les créateurs néerlandais posent également un regard décalé sur leur propre héritage. Dans la Frozen Fountain (p. 65), le temple amstellodamois de la décoration intérieure, , on peut admirer d'insolites pièces en faïence de Delft et des tissus traditionnels. On trouve aussi d'authentiques trésors du passé chez Bebob Design (p. 85), Wonderwood (p. 47) et d'autres spécialistes du vintage.

Aux Pays-Bas, design rime aussi avec bonnes affaires. Ainsi, HEMA (p. 45) suscite un véritable engouement. Le magasin embauche en effet des étudiants en design pour apposer leur griffe créative à toutes sortes d'objets, des tasses à café à d'originaux sacs à main... Mais comment a-t-on pu s'en passer jusqu'ici ?

>6 VÉLOS

POUR DÉCOUVRIR AMSTERDAM AUTREMENT

À l'exception peut-être de Copenhague, nulle autre ville au monde ne fait à ce point la part belle au vélo. Si les Néerlandais ne prêtent guère attention aux leurs, les visiteurs, eux, s'émerveillent de la diversité et de la créativité des modèles. Parmi les quelque 600 000 vélos circulant à Amsterdam, on en voit de toutes sortes, du classique *omafiets* (vélo de grand-mère) noir aux rutilants engins customisés avec des fleurs en plastique. Les mères transportent les enfants en bas âge dans des coffres installés à l'avant de leurs *bakfietsen* (vélo-cargo ou véloporteur) ou sur des selles fixées à l'avant ou à l'arrière. Les jeunes femmes branchées en jupes de collégiennes se rendent en discothèque à vélo, tout comme les banquiers partent du travail en enfourchant le leur.

Rien de tel que de découvrir le plaisir du vélo à Amsterdam par soi-même. On en trouve à louer partout (voir p. 180 les adresses de quelques magasins réputés), et une fois parti, on découvre la ville sous un tout autre angle grâce à ses 400 km de pistes cyclables. Consacrer une journée à flâner en vélo vaut vraiment la peine. Choisissez pour destination un site assez éloigné comme le Tropenmuseum (p. 113) ou les docks de l'Est (p. 132) et leur étonnante architecture, partez à l'aventure et offrez-vous le loisir de vous perdre en chemin. Quand on a goûté à la liberté que procure le vélo, on y revient forcément.

>7 CANAUX
EN BALADE SUR L'EAU

Dire que les Amstellodamois aiment l'eau est un doux euphémisme. Certes, la ville a d'abord fait fortune avec le commerce maritime, mais c'était il y a fort longtemps. De nos jours, par un dimanche ensoleillé, il suffit de s'asseoir au bord d'un canal et de regarder passer les bateaux pour constater que cet amour ne se dément pas. Certains cafés – comme l'Het Molenpad (p. 74) et 't Smalle (p. 76) – semblent n'avoir été construits que dans ce but. Mais on peut aussi flâner près des canaux et admirer quelques-unes des 3 300 péniches de la ville. Le Prinsengracht en compte de très diverses. Il est même possible d'en visiter une au Houseboat Museum (p. 62).

Surtout, ne manquez pas de programmer une visite des canaux (p. 182). S'il pleut, vous naviguerez dans un grand bateau vitré, mais s'il fait beau, n'hésitez pas à monter à bord de l'un des bateaux plus petits, non couverts. La courte traversée (gratuite) en ferry (p. 180) du port de l'IJ donne un aperçu de l'héritage maritime industriel d'Amsterdam – si l'expérience vous plaît, prolongez-la en partageant un dîner sur un bateau (p. 51).

Depuis un bateau, on découvre de tout nouveaux détails architecturaux, comme l'ornementation des ponts. Et il est toujours amusant de saluer de la main les clients des terrasses de café.

>8 VONDELPARK

FARNIENTE DANS L'HERBE

Aussi emblématique d'Amsterdam que ses canaux et ses cafés, la longue et étroite bande de verdure de Vondelpark (p. 99) fut créée dans les années 1860 à l'intention de l'élite de la ville. Le parc tient son nom du poète et dramaturge Joost Van den Vondel (le Shakespeare néerlandais). Cet agréable espace vert s'est depuis beaucoup démocratisé, en partie grâce aux hippies qui ont campé là en masse pendant l'été 1970.

Le parc étant fréquenté par toutes les couches sociales, il y règne une atmosphère joyeuse et festive. Certains se détendent dans l'herbe en lisant, d'autres boivent une bière dans un café, d'autres encore partagent un joint et grattent leur guitare, tandis que les artistes de rue distraient la foule et que les enfants prennent d'assaut les aires de jeux. L'ambiance générale est à ce point permissive que lorsque vous lirez ces lignes, la municipalité aura probablement légalisé le sexe anonyme qui se pratique dans le coin assez sordide de la roseraie. Le nudisme est en revanche interdit dans l'enceinte du parc, même si ceux qui enlèvent le haut pour parfaire leur bronzage sont nombreux. Plusieurs bassins, pelouses et sentiers sinueux invitent à la promenade. Tendez l'oreille et ouvrez l'œil pour entendre peut-être un concert d'orgue ou apercevoir des groupes de perroquets multicolores.

>9 ALBERT CUYPMARKT
BALADE GOURMANDE SUR UN MARCHÉ

On peut très bien aller à l'Albert Cuypmarkt (p. 106) pour acheter des sandales en plastique rose, un poisson entier, un cadenas de vélo ou de la lingerie bon marché. On peut aussi y aller pour s'émerveiller devant la diversité culturelle d'Amsterdam, ce marché séculaire se trouvant en plein cœur d'un quartier d'immigrants. Les étals s'adressent aussi bien à une clientèle surinamienne, marocaine et Indonésienne, qu'aux amateurs de fromage. Les vendeurs hèlent les passants pour leur proposer des gadgets insolites et un choix fantastique de fruits frais.

Il serait toutefois dommage que ce spectacle bigarré vous détourne d'un petit en-cas. Vous trouverez évidemment des stands de frites en chemin, mais sur place, vous pourrez aussi savourer des spécialités à manger sur le pouce. Commencez par un *broodje haring* – hareng cru servi sur du pain et assaisonné de pickles (pour plus de précisions, voir p. 89). Ensuite, goûtez au *loempia*, un mini-chausson à l'œuf, frit et croustillant, originaire d'Indonésie, à savourer avec une sauce sucrée et piquante. Pour le dessert, partez en quête du vendeur de *stroopwafel*, biscuits tout chauds collés les uns aux autres avec du caramel. Un indice : laissez-vous guider par l'odeur de cannelle.

>10 MUSÉE VAN GOGH

RENCONTRE AVEC L'ŒUVRE D'UN ARTISTE TOURMENTÉ

Parcourir du regard l'impressionnante collection de toiles de Vincent Van Gogh (1853-1890) revient presque à plonger dans l'âme torturée du peintre. Plus de 200 tableaux, disposés dans l'ordre chronologique, suivent l'évolution de sa peinture, en commençant par les toiles pleines de noirceur de ses débuts en Hollande – avec notamment *Les Mangeurs de pommes de terre* –, pour terminer une dizaine d'années plus tard à Arles, une période caractérisée par la lumière du Midi et des toiles aux couleurs éclatantes. Van Gogh s'est suicidé en 1890 à l'âge de 37 ans (peu de temps après s'être coupé l'oreille au cours d'une dispute avec Paul Gauguin). Il n'avait vendu qu'un seul tableau.

Le musée a ouvert en 1973 pour accueillir la collection personnelle de Théo, son frère – avec des tableaux, dessins, carnets de croquis et plus de 800 lettres de l'artiste –, à laquelle s'ajoutent quelques toiles de peintres contemporains, des amis de Vincent Van Gogh pour la plupart, comme Toulouse-Lautrec et Gauguin, ou d'artistes qu'il admirait, tel Jean-François Millet. La collection est installée dans un bâtiment conçu par Gerrit Rietveld, architecte néerlandais de premier plan. Le musée accueille aussi de superbes expositions temporaires dans une aile distincte (surnommée "la Moule" par les habitants) dessinée par Kisho Kurokawa ; voir p. 98 pour plus de précisions.

>AGENDA

Comme il se doit dans une ville où il pleut souvent, les fêtes et festivals ont majoritairement lieu en juillet et août pour pouvoir compter sur le ciel bleu. L'automne marque le début de la saison culturelle dans les grandes salles, laquelle continue jusqu'au printemps. Janvier et février sont plus calmes, mais réservent des plaisirs propres à l'hiver, patin à glace à Museumplein (p. 96) et stands de chocolat chaud un peu partout. La programmation des manifestations figure dans le mensuel de l'office du tourisme *Day by Day* ou dans l'*Amsterdam Weekly*, également disponible en ligne (www. amsterdamweekly.com).

Spectateurs rassemblés dans le port à l'occasion de Sail Amsterdam

JANVIER

Amsterdam International Fashion Week

www.aifw.nl

La semaine de la mode d'Amsterdam comporte plusieurs manifestations un peu partout en ville, mais principalement à la Westergasfabriek. Le programme est conséquent et ouvert au public.

FÉVRIER

Februaristaking

Commémoration de la grève des dockers du 25 février 1941 qui protestaient contre l'occupation allemande et la persécution des Juifs. Une cérémonie se déroule devant la statue du *Dokwerker*, à côté de la synagogue portugaise-israélite (p. 124).

MARS

Stille Omgang

www.stille-omgang.nl, en néerlandais

Près de 9 000 personnes assistent à cette procession silencieuse commémorant le miracle d'Amsterdam de 1354 (voir p. 41).

AVRIL

Amsterdam Fantastic Film Festival

www.afff.nl

Films d'horreur, de science-fiction, etc., sont à l'honneur au Festival du film fantastique (11 jours dans le Tuschinskitheater ; p. 85).

World Press Photo

www.worldpressphoto.org

Exposition des meilleurs clichés de photo-journalisme à l'Oude Kerk (fin avril à juin).

Prenez le pouls de la ville à l'occasion du Koninginnedag (fête de la Reine)

Koninginnedag

La fête de la Reine (30 avril) est une
célébration de la maison d'Orange. Plus
de 400 000 personnes tout d'orange
vêtues sortent dans la rue pour s'amuser,
boire et danser. À cette occasion, la ville
se transforme également en immense
vide-grenier.

MAI

Art Amsterdam

www.artamsterdam.nl

Anciennement le KunstRAI, cette foire
internationale d'art attire plutôt les
amateurs fortunés. Ambiance chic
et commerciale.

Kunstvlaai

www.kunstvlaai.nl

L'ex-version alternative d'Art Amsterdam est
désormais une manifestation indépendante
(avec des dates qui se chevauchent parfois).
Au programme : diverses installations
insolites, plusieurs ateliers ouverts au
public, etc.

JUIN

Holland Festival

www.hollandfestival.nl

La saison culturelle hivernale s'achève avec
ce célèbre festival de théâtre, de danse et
d'opéra, qui clôt aussi Uitmarkt (p. 25),
une grande fête des arts.

Amsterdam Roots Festival

www.amsterdamroots.nl

Excellente programmation de world music
dans plusieurs grandes salles 5 jours durant
et concerts gratuits à Oosterpark (p. 113),
situé dans un quartier très multiculturel.

Open Tuinen Dagen

www.opentuinendagen.nl

Les belles demeures de la ceinture des
canaux ouvrent leurs jardins aux visiteurs le
temps d'un week-end, à la fin du mois.

JUILLET

5 Days Off

www.5daysoff.nl, en néerlandais

La musique électro est à l'honneur dans
les principales discothèques, avec une
programmation plus avant-gardiste et
sélective que l'Amsterdam Dance Event
(p. 25), et une ambiance plus intimiste.

Over Het IJ

www.overhetij.nl

Le cadre industriel des chantiers navals
NDSM (prendre un ferry) tient lieu de décor
à ce festival de théâtre. Plusieurs spectacles
intègrent de nombreux éléments physiques/
visuels, ou bien sont en anglais.

Amsterdam International
Fashion Week

www.aifw.nl

Édition estivale de la semaine de la mode
(p. 22).

Julidans

www.julidans.nl

Pendant tout le mois, la danse contemporaine amstellodamoise et ses invités internationaux sont en représentation dans les grandes salles de la ville.

Kwakoe

www.kwakoe.nl, en néerlandais

Tous les week-ends de juillet, cette immense fête du football et de la gastronomie célèbre la culture surinamienne. Son avenir était incertain en 2008 – mais si elle perdure, le trajet jusqu'au Bijlmer vaut vraiment la peine.

AOÛT

Amsterdam Pride

www.amsterdampride.nl

Le dernier week-end de juillet ou le premier du mois d'août. Grande Gay Pride, avec défilé sur les canaux et fête dans les rues en liesse.

De Parade

www.deparade.nl, en néerlandais

Festival de théâtre se déroulant chaque soir les 15 premiers jours du mois, dans les chapiteaux de cirque du Martin Luther King Park. Nombreux spectacles surtout axés sur le visuel ou sans paroles.

Sail Amsterdam

www.sail2010.nl, en néerlandais

Immense et spectaculaire rassemblement des plus grands navires du monde ayant lieu

Y-M-C-A : les canaux pendant la Gay Pride

tous les 5 ans dans le port d'Amsterdam. Le prochain est prévu du 19 au 23 août 2010.

Grachtenfestival

www.grachtenfestival.nl

La musique classique se met à l'eau à l'occasion de ce festival de 8 jours. Clou du spectacle : le concert gratuit sur une barge, en face de l'hôtel Pulitzer, où se donnent rendez-vous tous les bateaux – ou presque – de la ville.

Hartjesdag

Grande fête du travestissement aux racines médiévales, Hartjesdag (fête des Cœurs) se tient dans le Zeedijk, le 3e week-end d'août. Ambiance très joyeuse et pas seulement réservée aux gays.

Uitmarkt

www.uitmarkt.nl, en néerlandais

Toutes les salles d'Amsterdam organisent les avant-premières de la saison à venir au cours de cette immense fête des arts, l'occasion également d'assister à quelques grands concerts le dernier week-end d'août. Des scènes en plein air sont installées sur les docks de l'Est.

SEPTEMBRE

Jordaan Festival

www.jordaanfestival.nl, en néerlandais

Les artistes qui jouent de la *levenslied* – musique triste et romantique typique du

AU CINÉMA

En juillet et surtout en août, les projections en plein air sont très nombreuses. Voici les principales :
Pluk de Nacht (www.plukdenacht.nl). Deux semaines de festival du film international, projections sur l'IJ.
Filmmuseum (p. 103). Grands classiques projetés au Vondelpark en juillet et août.
Filmhuis Cavia (www.filmhuiscavia. nl, en néerlandais). Classiques des années 1970 et autres grands films dans divers espaces publics tous les samedis du mois d'août.
Rialto (www.rialtofilm.nl, en néerlandais). À la Marie Heinekenplein (De Pijp) pendant un week-end à la fin août.

Jordaan – se produisent pendant un week-end à la fin septembre.

Theaterfestival van Nederland en Vlaanderen

www.tf.nl

Du 1er au 15, ce festival de théâtre se déroule dans plusieurs salles (avec des productions en anglais ou sous-titrées). L'Amsterdam Fringe Festival se tient au même moment.

Amsterdam Design

www.amsterdamdesign.info

Le mois entier est consacré à des visites guidées, conférences et expositions sur le design néerlandais.

OCTOBRE

Amsterdam Dance Event

www.amsterdam-dance-event.nl

Plus de 700 DJ et 40 000 danseurs font la fête dans les discothèques de la ville pendant un week-end à la fin du mois.

ING Amsterdam Marathon

www.ingamsterdammarathon.nl

Course à pied rassemblant quelque 25 000 participants, dont l'itinéraire englobe le Rijksmuseum, Vondelpark et d'autres sites emblématiques.

Robodock

www.robodock.org, en néerlandais

Grande fête des arts créée de longue date et puisant ses racines dans la culture underground et actuelle. Les robots sont évidemment de la partie.

NOVEMBRE

Museumnacht

www.n8.nl, en néerlandais

À la fin novembre, les salles d'exposition de toute la ville ouvrent leurs portes jusqu'à 2h du matin et programment diverses manifestations, des activités et des fêtes spéciales. Mieux vaut acheter son billet à l'avance (voir le site Internet pour plus de précisions).

International Documentary Film Festival

www.idfa.nl

Festival international du film documentaire, pendant 10 jours à la fin novembre.

Sinterklaas Intocht

www.sintinamsterdam.nl, en néerlandais

Pour marquer le début des vacances scolaires de la mi-novembre, Sinterklaas arrive en bateau dans le port puis défile à cheval dans toute la ville, lançant des bonbons et des biscuits au gingembre aux enfants. Les festivités durent tout un week-end (la date change chaque année).

DÉCEMBRE

Oudejaarsavond

Si des affiches prévenant contre les dangers des feux d'artifice sont placardées dans toute la ville le mois précédant le Nouvel An, elles ne gâchent pas la fête : à minuit, on tire un superbe feu d'artifice. Pour l'admirer, tâchez de trouver un bon point de vue en intérieur.

CONCERT-GEBOUW

Robeco
Zomerconcerten

Robeco
Zomerconcerten

juli
augustus
2007

www.robecozomerconcerten.nl

Petit match entre amis devant le Concertgebouw (p

ITINÉRAIRES

Amsterdam étant une ville compacte, elle se parcourt aisément et il n'est pas nécessaire de prévoir la visite d'un quartier par jour. Faire le tour de la boucle centrale des canaux prend moins de 1 heure – de quoi prévoir pas mal d'activités – mais pour optimiser votre temps, louez plutôt un vélo (p. 181).

UN JOUR

Commencez par l'incontournable Rijksmuseum (p. 98) ou le musée Van Gogh (p. 98) avant l'arrivée de la foule, puis déjeunez léger à l'Albert Cuypmarkt (p. 106) ou offrez-vous un tardif petit déjeuner turc chez Bazar (p. 109). Flânez ensuite le long de la boucle des canaux et faites un peu de shopping dans les Negen Straatjes (p. 14). Au crépuscule, aventurez-vous dans De Wallen (le quartier Rouge ; p. 12), et prenez un verre chez In de Olofspoort (p. 54) ou 't Mandje (p. 56). Terminez par un dîner chic chez Greetje (p. 128) ou Hemelse Modder (p. 128).

PETIT PLANNING AVANT DE PARTIR

Six mois avant Réservez votre hôtel, surtout l'été. Les établissements haut de gamme affichent très vite complet (voir p. 174 pour quelques suggestions).

Deux à trois mois avant Consultez la programmation du Concertgebouw (p. 102), du Muziekgebouw aan 't IJ (p. 139), du Melkweg (p. 93) et du Paradiso (p. 94) et achetez vos billets.

Deux semaines avant Réservez une table chez De Kas (p. 117) ou Bordewijk (p. 68), et un massage au Deco Sauna (p. 77). Consultez la programmation des festivals (p. 22) et organisez un vrai dîner néerlandais avec des Amstellodamois via www.like-a-local.com. Inscrivez-vous à la lettre d'information hebdomadaire par e-mail (www.lecool.com). Enfin, dérouillez vos muscles en prévision des déplacements à vélo.

Quelques jours avant Réservez une très bonne table pour votre première soirée (voire pour la deuxième également). Achetez en ligne vos billets pour le Rijksmuseum (p. 98), le musée Van Gogh (p. 98) et la maison d'Anne Frank (p. 62). Imprimez des itinéraires à vélo sur les docks de l'Est (p. 132) à l'adresse www.easterndocklands.com, téléchargez une visite guidée audio en tram (encadré p. 138) ou organisez une visite à pied avec Mee in Mokum (p. 181). Consultez le dernier numéro d'*Amsterdam Weekly* sur www.amsterdamweekly.com pour un aperçu de la programmation culturelle.

En haut à gauche Voir ou être vu à Vondelpark (p. 18) **En haut à droite** L'art est dans la rue **En bas** De Kaaskamer (p. 69) : le paradis des amateurs de fromage

En plein cœur du Jordaan, 't Smalle (p. 76) ou la quintessence de la *gezelligheid* à la néerlandaise

TROIS JOURS

Suivez le programme précédent en prenant le temps de réserver une croisière auprès du St Nicolaas Boat Club (p. 182) pour le jour suivant. Le lendemain matin, en route pour la maison d'Anne Frank (p. 62). Déjeunez chez Spanjer en van Twist (p. 72), puis partez en croisière. Faites halte à l'Uitburo (p. 93) afin d'acheter des billets de concert ou de spectacle, ou bien rendez-vous dans les bars et les discothèques entourant Leidseplein ; De Zotte (p. 74) est parfait pour prendre une bière et un repas simple avant la soirée. Le troisième jour, commencez par un petit déjeuner chez Gartine (p. 48), puis revenez à De Wallen afin d'admirer l'Oude Kerk (p. 43). Déjeunez au grand café De Jaren (p. 47), puis allez vous promener à Vondelpark (p. 99). Pour dîner dans une ambiance décontractée, gagnez le Jordaan et optez pour Festina Lente (p. 70), puis terminez par un verre chez 't Smalle (p. 76) ou De Kat in de Wijngaert (p. 73).

JOURS DE PLUIE

Imaginez-vous sous des climats plus ensoleillés au Tropenmuseum (musée des Tropiques, p. 113), puis – si c'est l'hiver – allez faire du patin à glace au Museumplein (p. 96). Faites une visite au Deco Sauna (p. 77) pour vous

réchauffer, et continuez par un solide repas néerlandais chez Moeders
(p. 70) ou une délicieuse fondue au Café Bern (p. 127). Imprégnez-vous de la
gezelligheid, l'atmosphère douillette typique d'un jour de grisaille, dans l'un
des nombreux cafés bruns (p. 158). Vous verrez : le *kopstot* (verre de genièvre
avec un trait de bière) fait des merveilles. Allez ensuite danser au Paradiso
(p. 94) ou au Melkweg (p. 93).

AMSTERDAM HORS DES SENTIERS BATTUS

Admirez les collections spécialisées comme celles du Bijbels Museum (musée
de la Bible, p. 62) ou du Tassenmuseum Hendrikje (p. 85), et visitez Ons'
Lieve Heer op Solder (p. 42), église cachée dans un grenier. Dégustez ensuite
des pancakes néerlandais dans le minuscule restaurant Pannenkoekenhuis
Upstairs (p. 51). Ceux qui le souhaitent peuvent faire un saut dans un *coffee
shop* avant d'aller chiner à Sanementereng (p. 75), ou chez De Looier (p. 65).
Soumettez-vous aux caprices du chef en optant pour un menu au restaurant
Gare de l'Est (p. 137) ou chez Balthazar's Keuken (p. 68), à moins de préférer
De Peper (p. 101), le restaurant du squat de l'OT301. Enfin, assistez au
spectacle artistique du jour de ce squat (p. 103).

AMSTERDAM GRATUIT

Faites un saut au Béguinage (Begijnhof, p. 40), petite cour paisible bordée
de maisons, puis flânez dans la galerie des Gardes civiques de l'Amsterdams
Historisch Museum (p. 40) pour vous plonger dans le Siècle d'or (admirez
aussi David et Goliath dans le café du musée). À midi, assistez à un concert
au Concertgebouw (p. 102), puis approfondissez vos connaissances sur
l'architecture contemporaine de la ville à la Zuiderkerk (p. 125) et à l'ARCAM
(p. 133), et profitez de la vue du haut de l'Openbare Bibliotheek Amsterdam
(bibliothèque municipale ; p. 136). Faites une petite balade dans Vondelpark
(p. 99) avant de vous joindre à la randonnée en rollers du vendredi soir (Friday
Night Skate, p. 99).

>LES QUARTIERS

Si une table libre se présente au De Jaren (p. 47), foncez !

LES QUARTIERS

Amsterdam est une ville faite pour flâner. Les ruelles étroites cachent des installations artistiques inattendues, le paysage change à mesure que l'on franchit les ponts enjambant les canaux, et l'habitude néerlandaise de ne pas accrocher de rideaux aux fenêtres réveille le voyeur qui sommeille en chacun de nous…

Ici, les petites rues tortueuses et les canaux sinueux règnent en maîtres. Le Centrum (centre-ville) abrite en son sein De Wallen (le quartier Rouge), étrange juxtaposition de l'industrie moderne du sexe et d'édifices vieux de plusieurs siècles. Dans la moitié un peu plus récente du Centrum, la place du Spui, bordée de cafés et de librairies, est le haut lieu de la vie intellectuelle.

La ceinture des canaux ouest attire les amateurs de shopping qui vont de boutique insolite en café. Immédiatement à l'ouest s'étend le Jordaan, cousin amstellodamois de Greenwich Village, délicieux quartier bobo.

La ceinture des canaux achève sa demi-boucle au sud du centre, où vous pouvez visiter les musées le jour et faire la fête la nuit dans les clubs et discothèques du quartier. Au-delà des canaux, Vondelpark, le poumon vert de la ville, jouxte le quartier cossu d'Oud Zuid (Vieux Sud), à l'ambiance paisible. À côté, le bouillonnant De Pijp dégage une tout autre atmosphère, ethnique et branchée. Ses restaurants permettent de goûter à une cuisine venue des anciennes colonies des Pays-Bas.

La partie est d'Amsterdam commence à Nieuwmarkt et s'étend jusque dans le Plantage, le coin le plus verdoyant d'une ville qui fait pourtant déjà la part belle aux espaces verts. On vient ici flâner sur le marché aux puces de Waterlooplein ou découvrir l'histoire juive locale. Quant à Oosterpark, quartier multiethnique situé juste après, il renferme le superbe Tropenmuseum.

Sur la ligne d'horizon du port, toujours changeante, se détache une salle de concert dernier cri. Le quartier avant-gardiste des docks de l'Est (Oostelijk Havengebied), véritable creuset de l'expérimentation architecturale, fait bien sûr les délices du monde du design.

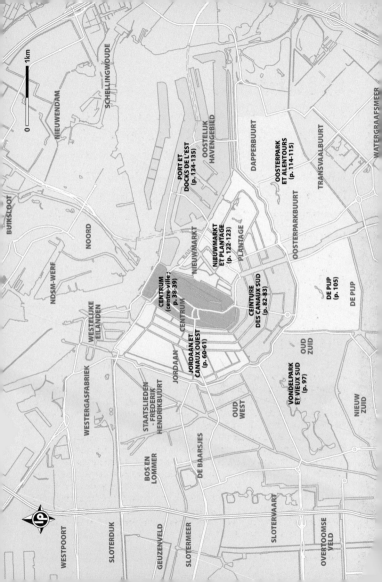

0 1km

SCHELLINGWOUDE

NIEUWENDAM

NIEUWENDAM

WATERGRAAFSMEER

BUIKSLOOT

NDSM-WERF

NOORD

PORT ET
DOCKS DE L'EST
(p. 134-135)

OOSTELIJK
HAVENGEBIED

DAPPERBUURT

OOSTERPARK
ET ALENTOURS
(p. 114-115)

TRANSVAALBUURT

NIEUWMARKT

NIEUWMARKT
ET PLANTAGE
(p. 122-123)

PLANTAGE

OOSTERPARKBUURT

CENTRUM
(centre-ville ;
p. 38-39)

CENTRUM

CEINTURE
DES CANAUX SUD
(p. 82-83)

DE PIJP
(p. 105)

DE PIJP

WESTELIJKE
EILANDEN

JORDAAN

JORDAAN ET
CANAUX OUEST
(p. 60-61)

OUD
ZUID

WESTERGASFABRIEK

STAATSLIEDEN
- FREDERIK
HENDRIKBUURT

VONDELPARK
ET VIEUX SUD
(p. 97)

NIEUW
ZUID

WESTERPOORT

BOS EN
LOMMER

OUD
WEST

DE BAARSJES

SLOTERDIJK

GEUZENVELD

SLOTERMEER

SLOTERVAART

OVERTOOMSE
VELD

WESTPOORT

>CENTRUM

Le Damrak coupe le centre médiéval d'Amsterdam en son milieu. À l'est, on trouve l'Oude Zijde ("Vieux Côté"), avec De Wallen (le quartier Rouge) à son extrémité nord, rassemblant de très beaux bars anciens ainsi que la superbe Oude Kerk (p. 43), la plus vieille église de la ville. Le Zeedijk, du côté nord-est, marque l'emplacement de l'ancienne digue. Depuis la fin du XIXᵉ siècle, c'est le Chinatown amstellodamois, mais le quartier est aussi devenu le symbole d'une renaissance urbaine : dans les années 1980, cette rue était un repaire de toxicomanes. Elle abrite désormais un temple bouddhique, de petites boutiques et d'excellents bars. Au sud du Dam, le minuscule Nes était jadis un long alignement de monastères. C'est aujourd'hui le quartier des théâtres. À l'extrémité sud de l'Oude Zijde, l'université d'Amsterdam (UvA) occupe de grandioses édifices anciens.

À l'ouest du Damrak, le Nieuwe Zijde ("Nouveau Côté") n'a qu'une centaine d'années de moins, mais il dégage une atmosphère notablement plus moderne. Des trams circulent le long de canaux remblayés, et des chaînes de magasins se côtoient dans les deux principales artères commerçantes, Nieuwendijk et Kalverstraat. Dans les minuscules ruelles qui relient entre elles les grandes avenues sont nichés d'étonnants bars et cafés. Le Spui, place située près de l'extrémité sud du quartier, est le haut lieu de la vie intellectuelle, comme en témoignent d'autres bâtiments appartenant au campus de l'UvA, d'excellentes librairies et un marché aux livres hebdomadaire. Les nombreux cafés-bars décontractés du coin accueillent étudiants et employés sortant du travail.

Damrak, l'une des artères les plus animées de la ville

CENTRUM (CENTRE-VILLE)

👁 VOIR

Amsterdams
   Historisch Museum **1** B7
Béguinage (Begijnhof) ....
   ....**2** B7
Beurs van Berlage **3** D4
Galerie des Gardes ....
   civiques **4** B7
Place du Dam et Nationaal
   Monument **5** C5
Sanctuaire Guan Yin.......**6** E5
Hash Marihuana Hemp
   Museum **7** D6
Koninklijk Paleis............**8** B5
Nieuwe Kerk **9** B5
Ons' Lieve Heer op Solder**10** D4
Oude Kerk **11** D5
Prostitution
   Information Centre ...**12** D4
Schreierstoren............**13** E3
Sexmuseum
   Amsterdam **14** D3

🏠 SHOPPING

Athenaeum...................**15** A7
Condomerie..................**16** C5
Conscious Dreams
   Kokopelli **17** D4
De Bijenkorf.................**18** C5
Female & Partners **19** B4
Fred de la Bretonière **20** B6
Geels & Co....................**21** D4
Hans Appenzeller..........**22** C7
HEMA..........................**23** B8

HEMA..........................**24** C4
Jacob Hooy & Co **25** E6
Laundry Industry **26** B7
Laundry Industry **27** B5
Maison de Bonneterie..**28** B8
Open...........................**29** B6
Marché aux livres
   d'Oudemanhuispoort.**30** C7
Outland Records..........**31** E4
PGC Hajenius **32** B7
Rush Hour Records **33** B4
Sissy-Boy....................**34** B5
Wonderwood **35** D7

🍴 SE RESTAURER

De Bakkerswinkel....**36** D4
De Jaren....................**37** C8
De Keuken van
   1870.....................**38** C3
Dop **39** B7
Dwaze Zaken..............**40** E3
Gartine **41** B7
Hofje van Wijs **42** E4
Kam Yin **43** D3
Kapitein Zeppo's...........**44** C7
La Place **45** C8
Lanskroon...................**46** A7
Lucius **47** A6
Nam Kee....................**48** E5
New King....................**49** E5
Pannenkoekenhuis
   Upstairs **50** C7
Rob Wigboldus
   Vishandel **51** C5
'Skek.........................**52** E3

Supperclub..................**53** B6
Thais Snackbar Bird.....**54** E4
Van Kerkwijk...............**55** C6
Villa Zeezicht..............**56** B4
Vlaams Frites Huis........**57** B8

🍷 PRENDRE UN VERRE

Abraxas **58** B6
Crea **59** C7
Dampkring **60** B8
Diep **61** B6
Getto **62** D4
Gollem **63** A7
Greenhouse.................**64** D6
Het Schuim **65** A6
Hoppe........................**66** A7
In 't Aepjen.................**67** E3
In de Olofspoort **68** E3
Kadinsky.....................**69** B7
Latei **70** F5
Lime **71** E5
't Mandje....................**72** E4
Van Zuylen..................**73** B4
Vrankrijk **74** A6
Wijnand Fockink **75** C6

⭐ SORTIR

Bitterzoet.....................**76** C3
Casa Rosso...................**77** D5
Casablanca **78** E4
Winston Kingdom.........**79** D5

Voir carte p. 38-39

◉ VOIR

◉ AMSTERDAMS HISTORISCH MUSEUM

☎ 523 18 22 ; www.ahm.nl ;
Nieuwezijds Voorburgwal 357 ; 6/3 € ;
☷ 10h-17h lun-ven, 11h-17h sam et
dim ; ▯ 1/2/5 Spui ; ♿

Le Musée historique de la ville traite certes de l'histoire ancienne, mais les expositions sur le siècle dernier sont tout aussi intéressantes. On peut jeter un coup d'œil dans des intérieurs typiques, entendre l'histoire d'immigrants et visiter une réplique de 't Mandje (p. 56), bar gay historique. Ne manquez pas la **galerie des Gardes civiques** (entrée libre), dans l'allée du côté sud du musée, ornée de grands portraits de groupe datant du Siècle d'or néerlandais.

◉ BÉGUINAGE (BEGIJNHOF)

☎ 622 19 18 ; www.begijnhofamster
dam.nl ; Spui, côté nord ; ☷ 8h-17h ;
▯ 1/2/5 Spui ; ♿

Cette cour paisible et les maisons qui l'entourent ont été construites pour les béguines. Suite à la Réforme protestante, en 1578, ces religieuses durent pratiquer le culte catholique dans une chapelle cachée dans une maison (lire l'encadré p. 41 sur le miracle d'Amsterdam). Les puritains anglais ont ensuite orné l'église de la cour (à voir : les tableaux figuratifs de Piet Mondrian). Même si la dernière béguine est morte en 1971, les maisons sont toujours réservées aux femmes. Les murs du couloir reliant le Spui au Béguinage sont gravés de chiens, de poulets et d'hommes – autant d'éléments interdits pour maintenir la paix du lieu.

En compagnie des pigeons sur la place du Dam

LE MIRACLE D'AMSTERDAM

En 1345, un mourant qui avait reçu l'extrême-onction vomit son hostie, laquelle fut jetée au feu. Mais elle ne brûla pas et le mourant recouvra même très vite la santé. Dès que l'histoire de l'hostie et de ses vertus curatives furent connues, les pèlerins affluèrent à Amsterdam ; même Maximilien, futur empereur des Habsbourg, vint se faire soigner au XVe siècle. Des tableaux et une fresque murale représentent le miracle d'Amsterdam dans la chapelle du Béguinage (p. 40) et, chaque année le 12 mars, au cours de la Stille Omgang (Procession silencieuse) le long de l'Heiligeweg, des milliers de personnes commémorent toujours l'événement.

◉ BEURS VAN BERLAGE

www.bvb.nl ; Damrak 277 ; ⏰ 10h-18h lun-sam, 11h-18h dim ; 🚊 4/9/16/ 24/25 Dam

Grand architecte et ardent socialiste, H.P. Berlage (1856-1934) construisit cette Bourse en 1903. Il emplit même ce temple du capitalisme de décorations célébrant le travail – à l'intérieur du café, vous verrez des fresques en mosaïque représentent le prolétariat du passé, du présent et de l'avenir. La Bourse actuelle est située de l'autre côté de la rue, ce bâtiment-ci abritant aujourd'hui salles de concerts et espaces d'exposition ; visite guidée sur rendez-vous via Artifex (p. 181).

◉ PLACE DU DAM ET NATIONAAL MONUMENT

Place du Dam ; 🚊 4/9/16/24/25 Dam

Cette vaste étendue envahie de pigeons était le site d'origine de la digue construite sur l'Amstel.

Aujourd'hui le coin favori des artistes de rue, elle accueille un théâtre de marionnettes en été et une grande roue au printemps. L'obélisque se dressant sur le côté est, le Nationaal Monument, a été érigé en 1956 en mémoire des victimes de la Seconde Guerre mondiale.

◉ SANCTUAIRE GUAN YIN

Temple Fo Guang Shan He Hua ; ☎ 420 23 57 ; www.ibps.nl ; Zeedijk 106-118 ; ⏰ 12h-17h mar-sam (et lun juin-sept), 10h-17h dim ; 🚊 4/9/16/24/25 Dam

La reine Beatrix a présidé l'inauguration de ce temple bouddhique – le premier des Pays-Bas – en 2000. Cette "porte de la montagne" ornementée, à l'intérieur assez petit et dépouillé, est comme un petit morceau de l'Asie des hautes altitudes transplanté dans ce plat pays. Les récitations de sutras (paroles de Bouddha) ont lieu le dimanche à 10h30.

☉ HASH MARIHUANA HEMP MUSEUM

☎ 623 59 61 ; Oudezijds Achterburgwal 148 ; 5,70 € ; ⊙ 11h-22h ; 🚊 4/9/16/24/25 Dam

Ce musée consacré à la marijuana comporte quelques pièces intéressantes, mais il sert surtout de vitrine à son impressionnante salle de culture de la plante, qui jouxte un magasin de graines (*seed shop*).

☉ KONINKLIJK PALEIS

☎ 620 40 60 ; www.koninklijkhuis.nl ; place du Dam ; 🚊 1/2/5/13/14/17 Raadhuisstraat ; ♿

Hôtel de ville construit sur commande en 1648, l'édifice est devenu le Palais royal au XIXᵉ siècle. Même lorsqu'il n'est pas en travaux pour rénovation (l'ouverture du palais est prévue pour le printemps 2009), la reine Beatrix vit à La Haye ; le palais ne sert que pour les cérémonies officielles. Sa façade austère cache un intérieur somptueux de marbre et d'or.

☉ NIEUWE KERK

☎ 638 69 09 ; www.nieuwekerk.nl ; place du Dam ; 4 € ; ⊙ 10h-18h ; 🚊 1/2/5/13/14/17 Raadhuisstraat ; ♿

Outre les couronnements et mariages royaux, la Nouvelle Église (1408) accueille des trésors d'autres cultures et pays. Remarquez notamment le vitrail contemporain, le pupitre haut de 10 m et les monuments aux grands héros maritimes des Pays-Bas.

☉ ONS' LIEVE HEER OP SOLDER

Museum Amstelkring ; ☎ 624 66 04 ; www.museumamstelkring.nl ; Oudezijds Voorburgwal 40 ; 7/5 € ; ⊙ 10h-17h lun-sam, 13h-17h dim ; 🚊 4/9/16/24/25 Centraal Station

Construite en 1661 à l'époque calviniste, l'église catholique de Notre Père au Grenier était cachée dans les étages supérieurs d'une demeure en bord de canal. La visite de la maison, qui fait passer par des escaliers labyrinthiques, donne à voir de modestes pièces à vivre, une douillette pièce "intermédiaire"

LA NOUVELLE-AMSTERDAM

Au printemps 1609, l'explorateur anglais Henry Hudson appareilla à bord de *De Halve Maan* ("La Demi-Lune") depuis le port d'Amsterdam à destination du Nouveau Monde, où il établit un comptoir marchand appelé la Nouvelle-Amsterdam, capitale à cette époque de la Nouvelle-Hollande. Quatre cents ans (et un traité avec les Britanniques) plus tard, on connaît mieux la ville sous le nom de New York. Pour les historiens et les spécialistes, la grande cité américaine doit ce qu'elle est aujourd'hui – une métropole multiethnique centrée sur les affaires – aux premiers colons néerlandais. Bref, c'est Amsterdam en plus grand et sans les innombrables vélos !

et mène dans l'église à 2 étages pourvue d'un orgue. De l'extérieur, on a peine à croire qu'un édifice si étroit abrite tant de choses.

☻ OUDE KERK

☎ 625 82 84 ; www.oudekerk.nl ; Oudekerksplein 23 ; 5/4 € ; 🕑 11h-17h lun-sam, 13h-17h dim ; 🚊 4/9/16/ 24/25 Dam ; ♿

Construit en 1200, le plus ancien bâtiment de la ville et sa toute première église paroissiale possédait à l'origine une structure en bois, qui fut remplacée par de la pierre vers 1300. Son plafond est l'élément le plus remarquable : certaines planches en bois sombre datent de 1480, et les images des saints brillent encore faiblement. La messe dominicale a lieu à 11h. L'église sert aussi d'espace d'exposition, notamment au World Press Photo, tous les ans en avril (p. 22). Dehors, sur les pavés, vous verrez un panneau en bronze représentant un sein – une pièce de *guerrilla art* installée de façon anonyme.

☻ PROSTITUTION INFORMATION CENTRE

☎ 420 73 28 ; www.pic-amsterdam.com ; Enge Kerksteeg 3 ; 🕑 12h-19h mar-sam ; 🚊 4/9/16/24/25 Dam

Des questions brûlantes sur le quartier Rouge ? Les réponses vous seront apportées ici par d'anciennes ou actuelles travailleuses du sexe.

À l'heure où nous imprimons, le centre est en plein réaménagement. Il comportera bientôt des expositions sur la prostitution, en plus des livres sur ce même sujet. Nous recommandons la **visite guidée à pied** (17h sam ; 12,50 €), qui mène notamment dans une "salle de travail".

☻ SCHREIERSTOREN

☎ 428 82 91 ; Prins Hendrikkade 94-95 ; 🚊 4/9/16/24/25 Centraal Station

Construite vers 1480, cette tour en brique qui faisait partie des remparts de la ville est devenue ensuite le point de ralliement des femmes qui venaient dire adieu aux navires en partance. À l'intérieur, dans le VOC Café décoré sur le thème nautique, une plaque en pierre de 1569 représente l'une de ces femmes éplorée. À l'époque, seul un marin sur trois rentrait en effet sain et sauf d'un voyage en mer. À l'extérieur, une plaque commémore le départ en bateau de Henry Hudson (encadré p. 42).

☻ SEXMUSEUM AMSTERDAM

☎ 622 83 76 ; www.sexmuseum amsterdam.nl ; Damrak 18 ; 3 € ; 🕑 10h-23h30 ; 🚊 1/2/5/ 13/17 Centraal Station

Ce temple du sexe suscite plus le ricanement que la véritable contemplation. En effet, a-t-on jamais trouvé usage plus étrange aux Animatronics, ces robots-automates ? Les visiteurs doivent être âgés d'au moins 16 ans.

⌂ SHOPPING

⌂ ATHENAEUM *Librairie*
☎ 514 14 60 ; Spui 14-16 ; 🚇 1/2/5 Spui
La librairie la plus "in" d'Amsterdam conjugue la culture et le style. Le marchand de journaux attenant vend des magazines, des journaux et des guides de voyage internationaux.

⌂ CONDOMERIE *Sex-shop*
☎ 627 41 74 ; Warmoesstraat 141 ; 🕐 lun-sam ; 🚇 4/9/16/24/25 Dam
Il est rare de pouvoir acheter des préservatifs dans un environnement d'aussi bon goût, et d'avoir à choisir parmi une sélection aussi fabuleuse. Les indécis opteront pour un assortiment tout prêt.

⌂ CONSCIOUS DREAMS KOKOPELLI *Smartshop*
☎ 421 70 00 ; Warmoesstraat 12 ; 🕐 11h-22h ; 🚇 4/9/16/24/25 Centraal Station

Enseigne du plus ancien et plus réputé *smartshop* de la ville (voir p. 86).

⌂ DE BIJENKORF *Grand magasin*
☎ 621 80 80 ; www.bijenkorf.nl, en néerlandais ; Dam 1 ; 🕐 11h-19h lun, 9h30-19h mar, mer et sam, 9h30-21h jeu et ven, 12h-18h dim ; 🚇 4/9/16/24/25 Dam
La prestigieuse "Ruche", fondée en 1850, occupe désormais un édifice de Marcel Breuer datant de 1957. Ses 5 étages fourmillent de clients venus chercher des produits de marque néerlandais (jeans G-Star Raw, notamment) et du monde entier (vêtements DKNY, etc.). Vous aurez une belle vue depuis le café du dernier étage.

⌂ FEMALE&PARTNERS *Sex-shop*
☎ 620 91 52 ; Spuistraat 100 ; 🕐 13h-18h dim et lun, 11h-18h mar-sam, 11h-21h jeu ; 🚇 1/2/5/13/14/17 Raadhuisstraat

LES VITRINES DU QUARTIER ROUGE
À De Wallen ("le quartier Rouge", connu aussi sous le nom de Red Light District), la prostitution est un business comme un autre. Il y a des sections spécialisées – un autocollant "NL" sur une devanture indique qu'on parle le néerlandais, d'autres vitrines sont occupées par des femmes d'origine étrangère : surinamiennes, russes ou hispanophones – et, bien sûr, chaque prostituée fait sa propre réclame. Les femmes paient entre 75 et 150 € la location d'une devanture pour 8 à 10 heures de travail (le tarif dépend des aménagements, mais toutes les pièces ont un lit et un lavabo) et affichent le tarif de leurs prestations. Elles paient aussi un impôt sur le revenu calculé d'après les estimations de la ville en matière de fréquentation touristique. La majorité des clients sont des étrangers.

À Amsterdam, tout est prétexte à faire de l'humour

Cette boutique qui vend des *sex-toy* et autres gadgets ne se prend pas trop au sérieux. On y trouve aussi, à côté des vibromasseurs et des DVD, de la lingerie classique et des bijoux pour le corps dessinés par les gérantes.

FRED DE LA BRETONIÈRE
Chaussures
☎ 623 41 52 ; Sint Luciënsteeg 20 ;
🚋 1/2/5/14 Paleisstraat
Ce créateur néerlandais propose des chaussures pas si chères que cela, conciliant le côté pratique et confortable à l'originalité des couleurs (par exemple, cuissardes ou bottes en cuir rouge à talons raisonnablement hauts). Pour les hommes, la gamme des couleurs est plus restreinte.

GEELS & CO *Alimentation*
☎ 624 06 83 ; Warmoesstraat 67 ;
🕐 9h30-18h lun-sam ; 🚋 4/9/16/24/25 Dam
Cette maison distinguée torréfie du café et vend des feuilles de thé depuis 140 ans. Une délicieuse odeur flotte dans la boutique, où vous pouvez acheter également théières, cafetières et services à thé et à café.

HANS APPENZELLER *Bijoux*
☎ 626 82 18 ; Grimburgwal 1 ; 🕐 mar-sam ; 🚋 4/9/14/16/24/25 Spui
Appenzeller est l'un des créateurs de bijoux les plus en vogue d'Amsterdam. Si ses créations épurées, mariant la pierre et l'or, ne sont pas à votre goût, vous pouvez toujours visiter les autres bijouteries de la rue.

HEMA
Mode, articles pour la maison
☎ 623 41 76 ; Nieuwendijk 174 ;
🕐 10h30-18h30 lun, 9h30-18h30 mar, mer, ven et sam, 9h30-21h jeu, 12h-18h dim ; 🚋 4/9/16/24/25 Dam
Voici un bazar néerlandais aussi rigolo que pratique et fonctionnel, où acheter des sous-vêtements mais aussi… des torchons de cuisine, des tasses à café ou des accessoires pour vélo. Vous trouverez une autre enseigne dans le **centre commercial Kalvertoren** (Kalverstraat 212).

JACOB HOOY & CO
Parfums et cosmétiques
☎ 624 30 41 ; **Kloveniersburgwal 12** ;
🕑 lun-sam ; 🚊 4/9/16/24/25 Dam
Cette officine vend des plantes
médicinales, médicaments
homéopathiques et autres
cosmétiques naturels depuis 1743.
L'intérieur a à peine changé.

LAUNDRY INDUSTRY *Mode*
☎ 420 25 54 ; **Spui 1** ;
🚊 4/9/14/16/24/25 Spui
Cette marque néerlandaise propose
des vêtements décontractés et
pratiques, dans des tons sobres
mais rehaussés de détails originaux
(rubans, broderies sur fronces). Vous
trouverez une autre enseigne au
Magna Plaza (Spuistraat 137).

MAISON DE BONNETERIE
Grand magasin
☎ 531 34 00 ; **Rokin 140** ;
🚊 4/9/14/16/24/25 Muntplein
L'establishment amstellodamois,
dont la reine Beatrix, aime faire
ses courses dans cet ancien grand
magasin, un peu plus clinquant et
sélect que De Bijenkorf (p. 44).

OPEN *Mode*
☎ 528 69 63 ; **Nieuwezijds
Voorburgwal 291** ; 🕑 12h-19h, 12h-21h
jeu ; 🚊 1/2/5/14 Paleisstraat
Cette minuscule boutique vend les
créations de 10 designers – un peu
de chic vintage détourné,

AMSTERDAM >46

un peu de vêtements en jersey, ou
d'étonnantes jupes de fermière
hollandaise… Nous avons
particulièrement aimé 100% Halal,
ligne de *streetwear* mêlant les
influences orientale et occidentale.

MARCHÉ AUX LIVRES
D'OUDEMANHUIS *Livres*
Oudemanhuispoort ; 🕑 11h-16h lun-
ven ; 🚊 4/9/14/16/24/25 Spui
Repaire favori des universitaires,
cette allée couverte reliant deux
rues est flanquée de part et d'autre
de vendeurs de livres d'occasion.
La plupart sont en néerlandais mais
dans certains stands, on en propose
en anglais et dans d'autres langues.

OUTLAND RECORDS *Musique*
☎ 638 75 76 ; **Zeedijk 22** ; 🕑 11h-19h
lun-sam, 11h-21h jeu, 12h-18h dim ;
🚊 4/9/16/24/25 Centraal Station
Boutique de disques/club
s'adressant aux puristes ; elle ne
vend que des vinyles, ainsi que
des jouets de créateurs japonais
et des écouteurs incrustés de
faux diamants. Informations et
billets pour les fêtes et concerts
disponibles sur place.

PGC HAJENIUS
Boutique spécialisée
☎ 623 74 94 ; **Rokin 96** ;
🚊 4/9/14/16/24/25 Spui
Même si vous n'êtes pas un vrai
connaisseur de cigares, une flânerie

dans l'antre du tabac vous donnera un aperçu de la grandeur qui caractérisait jadis le Rokin : vitraux Art déco, dorures, etc. Les habitués, dont certains membres de la famille royale, ont ici leurs coffrets privés.

🎵 RUSH HOUR RECORDS
Musique
☎ 427 45 05 ; Spuistraat 98 ; ⏱ 13h-19h lun ; 11h-19h mar-sam, 11h-21h jeu, 13h-18h dim ; 🚋 1/2/5/13/14/17 Raadhuisstraat
Cette boutique de disques/club est le repaire des DJ locaux. On y trouve informations sur les fêtes et concerts, billets, et bacs de vinyles bon marché où dénicher de vraies perles.

🛍 SISSY-BOY
Mode, articles pour la maison
☎ 389 25 89 ; Spuistraat 137 ; ⏱ 11h-19h lun, 10h-19h mar-sam, jusqu'à 21h jeu, 12h-19h dim ; 🚋 1/2/5/13/14/17 Raadhuisstraat
Chaîne néerlandaise de magasins de vêtements proposant des T-shirts imprimés insolites et d'autres articles mêlant styles BCBG et branché. Cette grande enseigne, au sous-sol du Magna Plaza, vend aussi quantité d'articles pour la maison.

🛍 WONDERWOOD *Design*
☎ 625 37 38 ; Rusland 3 ; ⏱ 12h-18h mer-sam ; 🚋 4/9/14/16/24/25 Spui
Tout autant musée que boutique, cet établissement permet d'admirer les superbes créations en contreplaqué de George Nelson, Marcel Breuer et d'autres – certaines pièces originales sont en vente, d'autres sont disponibles en réédition. Si elles sont trop encombrantes pour vous, optez pour des objets d'art plus petits (en bois naturellement).

🍴 SE RESTAURER

🍴 DE BAKKERSWINKEL
Café, boulangerie, gâteaux €
☎ 489 80 00 ; Warmoesstraat 69 ; ⏱ 8h-18h mar-ven, 8h-17h sam, 10h-17h dim ; 🚋 4/9/16/24/25 Dam ; Ⓥ ♿
Donnant directement sur l'artère très animée de Warmoesstraat, ce café parfait pour les familles propose d'excellents gâteaux et viennoiseries, notamment des scones. Une aire de jeux est aménagée dans le fond.

🍴 DE JAREN *Café* €
☎ 625 57 71 ; Nieuwe Doelenstraat 20-22 ; ⏱ 10h-1h ; 🚋 4/9/14/16/24/25 Muntplein ; Ⓥ ♿
Grand et pimpant, ce bar-café-restaurant animé est l'un des meilleurs de la ville, en partie grâce à son emplacement pratique et à ses deux grandes terrasses donnant sur l'eau. Le genre d'endroit où l'on vient juste prendre un café et d'où l'on repart quelques heures plus tard après avoir lu un magazine, mangé un bon sandwich et siroté un ou deux verres de vin.

🍴 DE KEUKEN VAN 1870

Néerlandais €

☎ 620 40 18 ; Spuistraat 4 ; 🕐
déj et dîner lun-sam ; 🚊 1/2/5/
13/17 Martelaarsgracht ; Ⓥ ♿
Malgré un intérieur blanc,
contrastant avec les habituels
lambris, ce restaurant bon marché
reste très typique. Le menu (3 plats,
8,50 €) comprend du *stamppot*
(purée de légumes et pommes de
terre) et du *vla* (pudding). Les clients
solitaires lisent les journaux, un chat
vagabonde et le service est revêche :
c'est une plongée dans l'authentique
culture néerlandaise.

🍴 DOP *Sandwicherie* €

☎ 624 75 51 ; Taksteeg 7 ; 🕐 10h30-
17h30 lun, 10h-17h30 mar-ven, 10h-18h
jeu, 11h-19h sam ; 🚊 4/9/14/16/24/25 Spui
Bien que simples, les sandwichs sont
copieux. Dans le pain blanc beurré
se glisse une grosse portion de gigot
d'agneau, du rosbif ou de saucisse de
foie, à déguster avec des frites (qui,
osons le dire, sont encore meilleures
que celles de la Vlaams Frites Huis,
p. 53). Bref, un vrai bon déjeuner
hollandais qui tient au ventre.

🍴 DWAZE ZAKEN *Café* €

☎ 612 41 75 ; Prins Hendrikkade 50 ;
🕐 midi-minuit lun-sam, cuisine ouverte
jusqu'à 21h ; 🚊 4/9/16/24/25 Centraal
Station ; Ⓥ ♿
On échappe dans ce café orné de
mosaïques et de grandes fenêtres

un peu à l'effervescence du quartier
Rouge. Au menu : sandwichs
et chaussons épicés, fondues
originales, et un bon choix de
bières. Il y a des concerts de jazz
le jeudi. À notre avis, les toilettes
sont de loin les plus propres du
centre-ville.

🍴 GARTINE *Café* €

☎ 320 41 32 ; Taksteeg 7 ;
🕐 8h-18h mer-dim ;
🚊 4/9/14/16/24/25 Spui ; Ⓥ
Ce café propose de succulents
gâteaux, sandwichs et salades
préparés avec des produits frais, à
quoi s'ajoutent une estampille Slow
Food, de belles assiettes anciennes
et un superbe emplacement
dans le quartier plutôt tristounet
de Kalverstraat. Une excellente
adresse.

🍴 HOFJE VAN WIJS *Café* €

☎ 624 04 36 ; Zeedijk 43 ; 🕐 12h-18h
mar et mer, 10h-22h30 jeu, 9h-22h30
ven et sam, 10h-19h dim ; 🚊 4/9/16/
24/25 Centraal Station
La maison Wijs & Zonen, négociant
en thé et café deux fois centenaire,
entretient ce café installé dans une
cour ravissante. Outre les classiques
habituels (de délicieux gâteaux !),
il sert le soir des plats de couscous
et de pâtes bon marché, et propose
même une **visite guidée à pied** (15h dim),
qui commence par un café et une
part d'*appeltaart*.

Berna Meijer
Guide au Prostitution Information Centre (p. 43)

Ce qu'elle aime dans son travail Aucune question n'est tabou. J'ai un jour demandé à une prostituée ce qu'était "la tortue", elle m'a répondu : "Installe-toi par terre…". **Pas de fausse pudeur** On peut regarder, mais il y a une différence entre regarder et dévisager. On n'est pas au zoo. Souriez-leur : ce sont des femmes comme les autres, elles apprécieront. **À ne pas manquer…** Les édifices de guingois et des curiosités comme le sein à côté de l'Oude Kerk (p. 43). **Meilleur moment** Les soirs d'été, parfaits pour s'imprégner de l'atmosphère ambiante. **Le meilleur resto** Kam Yin (p. 50) est très bon marché et sert le meilleur *roti* (pain indien) du monde. **Meilleur bar** Le Casablanca (p. 57) ! Parfait pour le karaoké, mais interdit aux claustrophobes. **Un petit verre tranquille** In de Olofspoort (p. 54) propose des liqueurs à l'ancienne. **Meilleur *sex show*** Le Casa Rosso (p. 57) s'efforce vraiment de mettre les femmes à l'aise.

KAM YIN *Surinamien* €
☎ 625 31 15 ; Warmoesstraat 8 ;
🕓 midi-minuit ; 🚇 4/9/16/
24/25 Centraal Station ; Ⓥ ♿
Cet établissement, tendance
plastique et fluo, ne paie pas de
mine mais propose d'excellents
classiques du Surinam comme le *roti*
et le *tjauw min* (nouilles épaisses et
assortiment de viandes). Le *broodje
pom* (sandwich au ragoût de poulet)
égale celui de De Tokoman (p. 128).

KAPITEIN ZEPPO'S *Café* €€
☎ 624 20 57 ; Gebed Zonder End 5 ; 🕓 déj
et dîner ; 🚇 4/9/14/16/24/25 Spui ; ♿
Dans une ruelle à côté de
Grimburgwal, ce café-bar dégage
une atmosphère bohème grâce aux
tables avec plateau de mosaïques,
éclairées à la bougie, et au jardin
d'hiver. Au menu : quelques plats de
style brasserie, et un bon restaurant
à l'étage où officie une chaleureuse
équipe de serveurs italiens.

LA PLACE *Café* €
☎ 235 83 63 ; Kalverstraat 201 ; 🕓 10h-
19h lun-ven, 10h-21h sam, 12h-18h
dim ; 🚇 4/9/14/16/24/25 Muntplein ;
♿ Ⓥ ♿
Au 1er étage du grand magasin
Vroom & Dreesmann, cette cafétéria
de standing satisfera tous les goûts :
sandwichs, quiches, plats sautés,
pâtes, le tout préparé de frais. Le
Marché, au rez-de-chaussée, vend
des sandwichs à emporter.

LANSKROON
Boulangerie, gâteaux €
☎ 623 74 43 ; Singel 385 ; 🕓 8h-17h30
lun-ven, 9h-17h30 sam, 10h-17h30 dim ;
🚇 1/2/5 Spui ; Ⓥ ♿
D'autres boulangeries anciennes
ont peut-être un plus joli cadre
et des gâteaux plus sophistiqués,
mais seule l'humble Lanskroon
propose un aussi remarquable
stroopwafel – croustillant, énorme,
parfumé au caramel, au miel ou à
la confiture de figues. En hiver, les
habitués viennent savourer des
speculaas (spéculoos) et autres
spécialités. L'été, place aux glaces
déclinées en plusieurs parfums.

LUCIUS *Fruits de mer* €€
☎ 624 18 31 ; Spuistraat 247 ; 🕓 17h-
minuit ; 🚇 1/2/5 Spui
Toujours bondé, ce restaurant est
réputé pour ses plats de poissons et
fruits de mer préparés simplement
mais avec art, tels la sole meunière
ou les huîtres de mer du Nord.
Le carrelage et les aquariums de
l'intérieur créent une ambiance sans
prétention, tout comme le service.
Les prix sont un brin excessifs mais
un restaurant ouvrant si tard est rare
à Amsterdam.

NAM KEE *Chinois* €
☎ 624 34 70 ; Zeedijk 111-113 ; 🕓 12h-
23h ; 🚇 4/9/16/24/25 Dam ; Ⓥ
Les huîtres à l'étuvée en sauce aux
haricots noirs du Nam Kee sont ici

légendaires. Si elles sont délicieuses, le cadre, lui, est un peu fade (la faute aux néons). Une autre enseigne, plus agréable, se trouve à proximité (p. 129).

🍴 NEW KING *Chinois* €€
☎ 625 21 80 ; Zeedijk 115-117 ; 🕑 11h30-minuit ; 🚇 4/9/16/24/25 Dam ; **V**

Nous recommandons cet établissement voisin du Nam Kee (ci-dessus) pour son excellente soupe au canard, ses légumes verts à l'ail, ses spécialités cantonaises, et son atmosphère plus agréable mais… les huîtres ne sont pas aussi bonnes. Serait-il possible de prévoir un repas en deux étapes ?

🍴 PANNENKOEKENHUIS UPSTAIRS *Néerlandais* €
☎ 626 56 03 ; Grimburgwal 2 ; 🕑 12h-17h ; 🚇 4/9/14/16/24/25 Spui ; **V** 👶

Si vous parvenez à grimper l'escalier en pente très raide, puis à trouver un siège dans ce minuscule établissement, vous dégusterez les meilleurs pancakes – et les moins chers – de la ville. Il n'y a qu'une personne, donc, le service s'adapte à son rythme. Second bémol : les heures d'ouverture ne sont pas toujours respectées.

🍴 ROB WIGBOLDUS VISHANDEL *Sandwicherie* €
☎ 626 33 88 ; Zoutsteeg 6 ; 🕑 petit déj, déj ; 🚇 4/9/16/24/25 Dam

Véritable oasis en plein cœur du quartier touristique, cet établissement niché dans une ruelle minuscule sert d'excellents sandwichs au hareng (surtout un choix de pains blancs et bruns). Si vous n'aimez pas le poisson, Van den Berg, juste à côté, propose toutes sortes de *broodjes* à la viande.

🍴 'SKEK *Café* €
☎ 427 05 51 ; Zeedijk 4-8 ; 12h-1h dim-jeu, 12h-3h ven et sam; 🚇 4/9/16/24/25 Centraal Station ; 👶 **V** 👶

Tenu par des étudiants pour des étudiants (30% de réduction sur présentation d'une carte), ce café-bar amusant et chaleureux est idéal pour manger sain. Des musiciens jouent de temps à autre le soir.

🍴 SUPPERCLUB
International €€€
☎ 638 05 13 ; www.supperclub.nl ; Jonge Roelensteeg 21 ; 🕑 20h-1h mer-sam ; 🚇 1/2/5/14 Paleisstraat ; **V**

Le Supperclub est une institution à Amsterdam, et l'ambiance change tous les soirs. Seule certitude : on vous servira un menu de 5 plats de grande qualité, et des personnes accompliront des performances (il faut ôter ses chaussures car on s'allonge sur des coussins). Par beau temps, optez pour la Supperclub Cruise, une croisière sur l'IJ.

Le Getto (p. 54), établissement emblématique de la scène gay et lesbienne dans le quartier Rouge

🍴 THAIS SNACKBAR BIRD

Thaïlandais €

☎ 620 14 42 ; Zeedijk 77 ; 🕙 14h-22h ;
🚇 4/9/16/24/25 Centraal Station

Ne le dites pas aux restaurants chinois voisins, mais c'est ici que l'on mange la meilleure cuisine asiatique du Zeedijk – les cuisiniers, serrés dans un minuscule espace, ne sont pas avares de citronnelle, de sauce au poisson ou de piment. Le restaurant (un peu plus cher) situé en face (au n°72) est plus grand.

🍴 VAN KERKWIJK

International €€

☎ 620 33 16 ; Nes 41 ; 🕙 déj et dîner ;
🚇 4/9/16/24/25 Dam ; Ⓥ ♿

Un service exceptionnellement chaleureux et des plats aux tarifs

corrects confèrent à cette adresse le caractère qui peut faire défaut à ce quartier assez impersonnel. Même si les plats, originaux, ne sont pas toujours inoubliables, les ingrédients sont frais et préparés avec habileté. Nous recommandons les calamars et la tarte aux poires. Il n'est pas nécessaire de réserver.

🍴 VILLA ZEEZICHT *Café* €

☎ 626 74 33 ; Torensteeg 7 ; 🕙 7h30-21h ; 🚇 1/2/5/13/14/17 Raadhuisstraat ;
Ⓥ ♿

Les déjeuners sont corrects mais ne donnent qu'un avant-goût assez quelconque de la tarte aux pommes maison servie avec de la crème, à la réputation légendaire et méritée.

🍴 VLAAMS FRITES HUIS
Fast-food €
☎ 624 60 75 ; Voetboogstraat 33 ;
🕑 11h-18h mar-sam, 12h-18h dim et
lun ; 🚇 1/2/5 Koningsplein ; ♿ Ⓥ ♿
Connu de longue date pour ses
frites, les meilleures d'Amsterdam,
ce petit boui-boui les propose
avec un grand choix de sauces
(attention : ne le confondez pas avec
l'établissement au nom semblable
de Handboogstraat.)

🍸 PRENDRE UN VERRE

🍸 ABRAXAS *Coffee shop*
☎ 625 57 63 ; Jonge Roelensteeg 12 ;
🕑 10h-1h ; 🚇 1/2/5/14 Paleisstraat
Les gérants ont bien compris ce
que recherchaient les adeptes des
drogues douces : musique cool,
canapés confortables, pièces aux
ambiances plus ou moins animées,
ainsi que milk-shakes onctueux. Le
personnel de l'Abraxas est attentif et
la clientèle, jeune et sympathique.
Les mêmes propriétaires gèrent un
établissement beaucoup plus petit
au n°61 de Spuistraat.

🍸 CREA *Café*
☎ 525 14 23 ; Turfdraagsterpad 17 ;
🕑 10h-1h lun-sam, 11h-19h dim ;
🚇 4/9/14/16/24/25 Spui ; Ⓥ ♿
En longeant Grimburgwal,
impossible de manquer les
chaises de café de l'autre côté
du canal. Elles appartiennent au
centre culturel de l'université
d'Amsterdam, un endroit
décontracté avec vue superbe sur
le pont, autrefois connu pour la
vente de vélos volés. Il arrive encore
que l'on assiste à ce genre de
transaction.

🍸 DAMPKRING *Coffee shop*
☎ 638 07 05 ; Handboogstraat 29 ;
🕑 10h-1h dim-jeu, 22h-2h sam et dim ;
🚇 1/2/5 Koningsplein
Célèbre pour son petit rôle dans
Ocean's Twelve, ce *coffee shop* à
l'éclairage tamisé et au personnel
serviable propose un grand choix de
marijuana. Il a étendu sa *dampkring*
(atmosphère) spéciale à une
boutique voisine (Heisteeg 6 ; qui
porte l'enseigne De Tweede Kamer,
et compte un superbe intérieur
Art déco), ainsi qu'à un autre
établissement au croisement de
Heisteeg et Singel.

🍸 DIEP *Bar lounge*
☎ 420 20 20 ; Nieuwezijds
Voorburgwal 256 ; 🕑 17h-1h lun-jeu,
17h-3h ven et sam ; 🚇 1/2/
5/14 Paleisstraat
La boule disco à facettes, les lustres
et les tons chocolat de ce bar
décontracté lui confèrent un certain
kitsch. Plutôt tranquille en début de
soirée, il est ensuite pris d'assaut par
une clientèle jeune qui vient écouter
la musique des DJ.

☂ GETTO *Gay et lesbien*
☎ 421 51 51 ; Warmoesstraat 51 ;
🕐 mar-dim 17h-1h ; 🚊 4/9/16/
24/25 Centraal Station

Voici un paradis pour les jeunes gays et lesbiennes, ou quiconque cherche une ambiance bohème et underground en plein cœur du quartier Rouge (De Wallen). *Happy hour* tous les jours (17h-19h) et bonne cuisine à prix avantageux.

☂ GOLLEM *Bar à bières*
☎ 626 66 45 ; Raamsteeg 4 ;
🚊 1/2/5 Spui

Tout le bric-à-brac qui s'entasse dans ce minuscule espace laisse à peine la place aux 200 sortes de bières – belges pour l'essentiel – et aux amateurs qui viennent les goûter. Les barmans se font un plaisir de vous conseiller.

☂ GREENHOUSE *Coffee shop*
☎ 627 17 39 ; Oudezijds Voorburgwal 191 ;
🕐 9h-1h lun-jeu et dim, 9h-3h ven et sam ; 🚊 4/9/16/24/25 Dam

Cette branche de l'enseigne originale située à De Pijp (p. 111) est tout aussi joliment décorée, ce qui en fait l'établissement le plus chic de De Wallen. En outre, pas besoin d'être "membre"…

☂ HET SCHUIM *Bar*
☎ 638 93 57 ; Spuistraat 189 ; 🕐 11h-1h lun-jeu, 11h-3h ven et sam, 13h-1h dim ; 🚊 1/2/5/14 Paleisstraat

Schuim signifie "mousse", comme celle qui coiffe les verres de bière servis à toute allure. Il y a en général pas mal de monde mais l'endroit est assez spacieux, comporte des tables en extérieur et de grandes fenêtres. Un lieu idéal pour observer un mélange d'artistes, de cadres et de personnages éclectiques.

☂ HOPPE *Café brun*
☎ 420 44 20 ; Spui 18 ; 🕐 8h-1h lun-jeu, 8h-2h ven et sam ; 🚊 1/2/5 Spui

Ce café douillet, ouvert depuis 1670 et meublé d'anciens bancs d'église et de tonneaux de bière, attire plus de touristes armés d'appareils photo que d'habitants. Toutefois, une entrée secondaire dans Heisteeg mène à une pièce plus petite et plus calme consacrée au *jenever* (genièvre).

☂ IN DE OLOFSPOORT
Maison de dégustation
☎ 624 39 18 ; Nieuwebrugsteeg 13 ;
🕐 16h-minuit mar et jeu-sam ;
🚊 4/9/16/24/25 Centraal Station

C'est ici qu'il faut venir goûter à de nouvelles liqueurs, une fois le Wijnand Fockink (p. 56) fermé. Certains habitués ont leur bouteille attitrée.

☂ IN 'T AEPJEN *Café brun*
☎ 626 84 01 ; Zeedijk 1 ; 🕐 15h-1h lun-jeu, 15h-3h ven et sam ;
🚊 4/9/16/24/25 Centraal Station

NON-FUMEURS (LA PLUPART DU TEMPS)

Suivant le mouvement d'autres villes européennes, Amsterdam a promulgué l'interdiction de fumer dans tous les bars et restaurants. Ainsi, le 1er juillet 2008, les Néerlandais se sont résignés et ont remisé leurs paquets de tabac. Toutefois, il reste les coffee shops : fumer de la marijuana est autorisé, mais pour une cigarette, on est prié de sortir. Certains grands *coffee shops* ont aménagé des pièces spéciales "self-service" (interdites aux employés) qui permettent de griller une bonne vieille cigarette. Les établissements plus petits se sont approvisionnés en pipes à eau et ont affiché des écriteaux disant "Marijuana pure uniquement !" Imaginerait-on voir cela ailleurs qu'à Amsterdam ?

Des bougies se consument en journée dans ce bar à l'ambiance ultra-*gezellig* (p. 158) installé dans une maison du XVe siècle, l'une des deux seules en bois existant encore à Amsterdam (l'autre est dans le Béguinage, p. 40). Le jazz qui passe en fond sonore accentue l'impression d'avoir reculé dans le temps. Aux XVIe et XVIIe siècles, les marins d'Extrême-Orient, qui avaient souvent avec eux des *aapjes* (singes), faisaient étape ici pour la nuit. D'où le nom de l'établissement.

Y KADINSKY *Coffee shop*
☎ 624 70 23 ; Rosmarijnsteeg 9 ;
🕐 10h-1h lun-ven, 10h-2h sam et dim ;
🚋 1/2/5 Spui
En apparence, on n'est pas forcément dans un *coffee shop* : un mobilier élégant et minimaliste et un fond sonore de musique électro remplacent l'ambiance grunge hippie habituelle. On sert des boissons, dont de bons chocolats chauds, dans les divers petits coins douillets répartis sur 3 étages, et

pourtant… Deux autres enseignes Kadinsky beaucoup plus petites se trouvent au n°7a de Langebrugsteeg et au n°14 de Zoutsteeg.

Y LATEI *Café*
☎ 625 74 85 ; Zeedijk 143 ; 🕐 8h-18h lun-mer, 8h-22h jeu et ven, 9h-22h sam, 11h-18h dim ;
🚋 4/9/16/24/25 Dam ; 🅥 🔧
Pas d'inquiétude, le personnel sympathique de ce minuscule café ne vous retirera pas votre table en Formica, bien que celle-ci, comme tous les objets de déco *mods* (*modernists* ; années 1960) du lieu, soit à vendre. La clientèle d'habitués du quartier vient ici s'offrir généralement un délicieux *koffie verkeerd* (café au lait).

Y LIME *Bar lounge*
☎ 639 30 20 ; Zeedijk 104 ;
🚋 4/9/16/24/25 Dam
Ce bar lounge branché, inusité dans ce quartier, a tout ce qu'il faut : un intérieur *mods* orange et marron,

de la musique et de bons cocktails (une rareté à Amsterdam) à seulement 5 € entre 17h et 22h.

🍸 'T MANDJE
Gay et lesbien, café brun
☎ 622 53 75; Zeedijk 63;
🚊 4/9/16/24/25 Centraal Station
Le plus ancien bar gay d'Amsterdam – et peut-être du monde – a ouvert en 1927, puis fermé en 1982, lorsque le Zeedijk est devenu trop mal famé. Toutefois, son intérieur empli de babioles n'a cessé d'être dépoussiéré avec amour jusqu'à sa réouverture en 2008. Les barmans ne manquent pas d'anecdotes sur la fondatrice du lieu, une lesbienne exubérante. Au programme : jazz live et DJ rétro qui passe des 78 tours sur un vieux gramophone Victrola. L'une des adresses les plus *gezellig* du Centrum, que l'on soit gay ou hétéro.

🍸 VAN ZUYLEN *Café brun*
☎ 639 10 55; Torensteeg 4; 🕐 10h-1h dim-jeu, 10h-3h ven et sam ;
🚊 1/2/5/13/14/17 Raadhuisstraat
Bien que la terrasse soit l'un des coins les plus ravissants pour prendre un verre au bord du Singel, l'intérieur, tout de bois et de vieilles banquettes en cuir, est aussi très agréable quand il fait froid.

🍸 VRANKRIJK *Bar*
Spuistraat 216 ; 🕐 à partir de 21h ;
🚊 1/2/5/14 Paleisstraat

Ce bar grunge très bon marché, aux murs couverts de graffitis, fait office de centre de soutien aux sous-cultures amstellodamoises. Soirée drag-queen le lundi, punk le jeudi, et de la danse souvent le samedi.

🍸 WIJNAND FOCKINK
Maison de dégustation
☎ 639 26 95 ; Pijlsteeg 31 ; 🕐 15h-21h ;
🚊 4/9/16/24/25 Dam
L'ambiance bat son plein dans cet établissement de 1679, bien qu'il ferme tôt, et qu'il soit écrit au-dessus de la porte : "Chut, le genièvre se repose." La distillerie ouvre aussi pour des visites guidées (9h-17h en semaine, 13h-18h le samedi).

⭐ SORTIR

⭐ BITTERZOET *Musique live*
☎ 521 30 01 ; www.bitterzoet.com, en néerlandais ; Spuistraat 2 ;
🚊 1/2/5/13/17 Martelaarsgracht
Ce petit établissement (pas toujours accueillant à l'entrée avec les touristes, paraît-il, mais nous n'avons rien constaté de tel) assure une programmation très éclectique : afrobeat, musique latino, hip-hop et jazz à l'ancienne.

⭐ CASA ROSSO *Sex show*
☎ 627 89 43 ; www.janot.com ;
Oudezijds Achterburgwal 106-108 ; 30 € ;
🕐 20h-2h dim-jeu, 20h-3h ven et sam ;
🚊 4/9/16/24/25 Dam

Difficile de qualifier un *sex show* d'élégant. En tout cas, cette salle propre et confortable est toujours bondée de couples ou de jeunes femmes en goguette. Une immense enseigne en forme d'éléphant rose a remplacé la fontaine représentant un pénis à l'entrée.

⭐ **CASABLANCA**
Musique live, théâtre
☎ 625 56 85 ; www.casablanca
-amsterdam.nl, en néerlandais ;
Zeedijk 24 ; 🚋 4/9/16/
24/25 Centraal Station
Anciennement réputé pour ses concerts de jazz (des groupes jouent encore à l'occasion en début de semaine), le Casablanca est désormais un haut lieu du

karaoké le week-end. À côté, au n°26, le Casablanca Varieté, cabaret intimiste, accueille drag-queens, magiciens et autres artistes tous les soirs, sauf le lundi (entrée 5 €).

⭐ **WINSTON KINGDOM**
Musique live
☎ 623 13 80 ; www.winston.nl ;
Warmoesstraat 129 ;
🚋 4/9/16/24/25 Dam
Un petit espace, un son jouant à plein volume, et une clientèle aimant bien boire… Peu importe la musique – des DJ brésiliens aux groupes de reprises d'Elvis Costello –, l'ambiance peut devenir frénétique dans ce petit club un peu grungy. Programmation sur le site Internet.

JORDAAN ET CANAUX OUEST

Creusée au XVIIe siècle, la Grachtengordel (ceinture des canaux) comptait de grandes parcelles où les riches négociants pouvaient construire des demeures en adéquation avec leur standing. Aujourd'hui, ce quartier demeure encore le plus cossu d'Amsterdam. Si nombre de ces belles demeures abritent aujourd'hui des bureaux, des écoles et des espaces d'exposition, les larges canaux conservent néanmoins une atmosphère paisible de quartier résidentiel (astuce mnémotechnique : Herengracht, Keizersgracht et Prinsengracht apparaissent dans l'ordre alphabétique à mesure qu'on s'éloigne du centre). Les ruelles transversales qui les relient, plus animées, abondent en cafés et boutiques insolites – la zone des Negen Straatjes (Neuf Rues, p. 14) qui s'étend au sud et au nord de Raadhuisstraat étant la plus connue.

À l'ouest des canaux, le Jordaan est un quartier aux racines ouvrières. Ses habitants les plus anciens sont fiers de leur accent, de leur musique romantique et mélancolique (*levenslied*) et de leur passé mouvementé marqué notamment par un affrontement en 1886 avec la police, à la suite d'une émeute. Le quartier s'est énormément embourgeoisé à partir du début du XXe siècle, époque à laquelle on commença à raser les logements ouvriers. Il devint *le* coin en vogue dans les années 1980, sans toutefois perdre son cachet pittoresque de petit village. À côté d'une boutique d'huile d'olive et d'une galerie d'art (on en compte plusieurs dans le quartier), on trouve donc aussi des friperies et des rideaux de dentelle, même aux fenêtres des édifices plutôt quelconques reconstruits dans les années 1980. Avec un charmant petit bar à tous les coins de rue, le Jordaan incarne la quintessence de la *gezelligheid* (p. 158).

Les deux quartiers sont bordés au nord par Haarlemmerstraat et Haarlemmerdijk, une seule et même longue artère commerçante à l'ambiance plus branchée, comptant nombre d'établissements où grignoter un morceau ou boire un verre.

JORDAAN ET CANAUX OUEST

Voir carte p. 60-61

Voir carte Centrum (centre-ville ; p. 38-39)

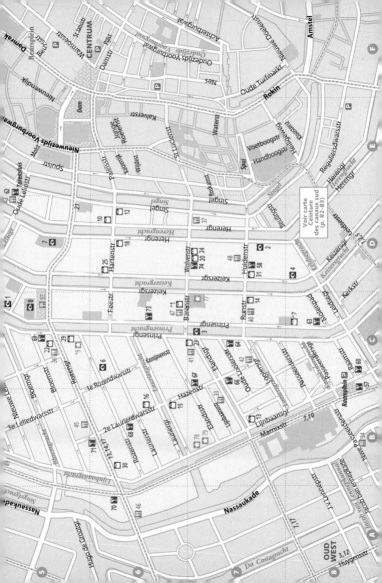

Voir carte
Ceinture
des canaux sud
(p. 82-83)

◉ VOIR

◉ MAISON D'ANNE FRANK (ANNE FRANK HUIS)

☎ 556 71 05 ; www.annefrank.org ; Prinsengracht 267 ; adulte/moins de 10 ans/10-17 ans 7,50/gratuit/3,50 € ; 🕙 9h-21h dim-ven, 9h-22h sam mi-mars à mi-sept, 9h-19h sam mi-sept à mi-mars, fermé Yom Kippour ; 🚋 13/14/17 Westermarkt ; ♿

L'Anne Frank Huis (p. 11), où l'adolescente vécut cachée avec sa famille durant la Seconde Guerre mondiale, accueille près d'un million de visiteurs par an. Pour éviter la file d'attente, achetez vos billets en ligne, ou bien venez très tôt ou tard un jour particulièrement pluvieux. La file avance toutefois avec fluidité puisqu'il ne faut que 45 min pour visiter la maison et les expositions.

◉ BIJBELS MUSEUM

☎ 624 24 36 ; www.bijbelsmuseum.nl ; Herengracht 366-368 ; 7,50/3,75 € ; 🕙 10h-17h lun-sam, 11h-17h dim ; 🚋 1/2/5 Spui

Plus qu'un simple musée de la Bible, cette superbe demeure en bord de canal est un lieu sur l'importance de la Bible dans la culture du XIXe siècle. Il abrite des momies, des maquettes du Tabernacle et du temple de Jérusalem, et une collection de bibles anciennes. Près du joli jardin, on trouve une exposition de "senteurs bibliques".

◉ HOUSEBOAT MUSEUM

☎ 427 07 50 ; www.houseboatmuseum.nl ; face au Prinsengracht 296 ; 3,25/2,50 € ; 🕙 11h-17h mar-dim mars-oct, 11h-17h ven-dim nov-fév, fermé jan ; 🚋 13/14/17 Westermarkt

Si vous voulez savoir comment vivaient les gens sur les *woonboot* (péniches), visitez l'*Hendrika Maria*, ancien navire à voile marchand construit en 1914. Une courte projection vidéo présente les divers types de péniches, mais le plus intéressant reste tout simplement l'impression ressentie à bord d'un logement flottant.

◉ HUIS MARSEILLE

☎ 531 89 89 ; www.huismarseille.nl ; Keizersgracht 401 ; 5/3 € ; 🕙 11h-18h mar-dim ; 🚋 1/2/5 Keizersgracht

La programmation influence beaucoup la préférence du visiteur pour ce musée de photographie contemporaine ou bien pour le FOAM (p. 81). En tout cas, le cadre est ici plus joli, les expositions internationales étant montrées dans 5 grandes pièces à la déco XVIIIe siècle, et dans le minuscule pavillon d'été du jardin. Une excellente petite librairie est installée sur place.

◉ POEZENBOOT

☎ 625 87 94 ; face au Singel 40 ; 🕙 13h-15h jeu-mar ; 🚋 1/2/5/13/17 Martelaarsgracht

Les cœurs sensibles réfléchiront à deux fois avant de monter à bord de la "péniche aux chats" réservée aux chats errants (tous châtrés) en attente de maîtres.

◉ STEDELIJK MUSEUM BUREAU AMSTERDAM
☎ 422 04 71 ; www.smba.nl ; Rozenstraat 59 ; entrée libre ; 🕙 11h-17h mar-dim ; 🚊 13/14/17 Westermarkt
Pendant les travaux de restauration du Stedelijk Museum (p. 98), seul cet espace d'expositions permanentes reste ouvert. Vous y verrez œuvres contemporaines, installations, photographie, design et nouveaux médias.

◉ THEATERMUSEUM
☎ 551 33 00 ; www.tin.nl ; Herengracht 168 ; 4,50/2,25 € ; 🕙 11h-17h lun-ven, 13h-17h sam et dim ; 🚊 13/14/17 Westermarkt
Deux splendides demeures en bord de canal – la maison Bartolotti a été construite par l'architecte de la Westerkerk – abritent costumes de théâtre, décors, affiches et photos. Si l'on apprend peu de chose sur l'histoire de cet art, l'ingénieuse "salle de théâtre" avec son système de décors amovibles, le très joli jardin et le café méritent le détour.

◉ WESTERKERK
☎ 624 77 66 ; www.westerkerk.nl ; Prinsengracht 281 ; entrée libre,

AUX FRONTONS DES MAISONS
Avant l'introduction des numéros de rues en 1795, les maisons amstellodamoises se reconnaissaient à leur fronton, une plaque en pierre peinte ou sculptée surmontant la porte d'entrée. On en trouve encore de magnifiques exemples, notamment dans le Jordaan ; d'autres, sauvés des outrages du temps, ont été installés devant l'Amsterdam's Historisch Museum (p. 40) et dans le Béguinage (p. 40). Les métiers sont un thème fréquemment représenté – négociant de tabac, capitaine de navire, ou encore entrepreneur de pompes funèbres – tout comme les animaux. Le bar De Kat in de Wijngaert (p. 73), "Le Chat dans la vigne", tient son nom de son fronton. Les bâtiments modernes sont parfois pourvus d'une plaque à l'ancienne. Allez donc voir au n°55 de Lindengracht.

clocher 6 € ; 🕙 église 11h-15h lun-sam avr-oct, clocher 10h-17h lun-sam avr-sept ; 🚊 13/14/17 Westermarkt
Bien que n'étant pas à proprement parler dans le Jordaan, cette imposante église protestante (1631) est devenue le symbole du quartier. Son clocher (85 m) est la plus haute tour de la ville. Pour être un vrai *jordaner*, dit-on, il faut être né "à portée de cloches" de la Westerkerk. Selon les registres paroissiaux, Rembrandt repose ici, dans une sépulture sans nom, sorte de cimetière des pauvres. La vue

On vient flâner au Noordermarkt (p. 67) le lundi et le samedi

est belle du haut du clocher et, par temps venteux, on le sent osciller.

🛍 SHOPPING

🛍 & KLEVERING
Articles pour la maison
☎ 422 27 08 ; Haarlemmerstraat 8 ;
🚊 1/2/5/13/17 Martelaarsgracht
Enseigne de la boutique proche du Vondelpark (p. 99).

🛍 ANTONIA BY YVETTE
Chaussures
☎ 320 94 43 ; Herengracht 243 ;
🕐 mar-sam ; 🚊 1/2/5/14 Paleisstraat
Ce pays des merveilles de la chaussure, pour homme et femme, a investi le bâtiment voisin.

On trouve des escarpins à talons aiguilles, des bottes, des espadrilles et même des pantoufles de diverses marques.

🛍 BOEKIE WOEKIE *Livres*
☎ 639 05 07 ; Berenstraat 16 ;
🕐 12h-18h ; 🚊 13/14/17 Westermarkt
Cette adresse est avant tout une galerie d'art, même si les œuvres sont des livres d'artistes, qu'il s'agisse de monographies publiées à compte d'auteur ou d'histoires illustrées à la main.

🛍 BRILMUSEUM *Lunettes*
☎ 421 24 14 ; Gasthuismolensteeg 7 ;
🕐 11h30-17h30 mer-ven, 11h30-17h sam ; 🚊 1/2/5/14 Paleisstraat

Le musée des Lunettes expose 700 années d'histoire des verres correcteurs et vend des montures d'époque en très bon état.

DE LOOIER Antiquités
☎ 624 90 38 ; Elandsgracht 109 ; 🕐 11h-17h sam-jeu ; 🚊 7/10/17 Elandsgracht

Quiconque aime les vieux objets et le bric-à-brac ne ressortira probablement jamais de ce mini-centre commercial. On y trouve de tout, des robes en soie années 1940 aux films pornos suédois des années 1970.

DE WITTE TANDEN WINKEL
Boutique spécialisée
☎ 623 34 43 ; Runstraat 5 ; 🕐 lun-sam ; 🚊 1/2/5 Spui

La "boutique des dents blanches" a une obsession : l'hygiène dentaire. Vous y trouverez des brosses à dents, des dentifrices du monde entier et toutes sortes d'articles indispensables dont vous ignoriez avoir besoin jusqu'ici.

ENGLISH BOOKSHOP Livres
☎ 626 42 30 ; Lauriergracht 71 ; 🕐 mar-sam ; 🚊 7/10/17 Elandsgracht

Excellent choix de littérature néerlandaise et de livres sur Amsterdam (en anglais, entre autres), et très bons ouvrages de fiction contemporains. Le sous-sol est consacré aux livres pour enfants.

EVA DAMAVE Mode
☎ 627 73 25 ; 2e Laurierdwarsstraat 51c ; 🕐 12h-18h mer-sam ; 🚊 10/13/14/17 Marnixstraat

Cette créatrice, qui privilégie la laine, tricote des pulls, des châles et des robes aux couleurs vives. Si nous aimons moins ses créations en patchwork, mention spéciale pour les beaux vêtements à rayures, généralement des modèles uniques.

FROZEN FOUNTAIN Design
☎ 622 93 75 ; Prinsengracht 629 ; 🕐 mar-sam ; 🚊 1/2/5 Prinsengracht

Voici deux maisons en bord de canal pleines à craquer de superbes articles de design et de décoration, néerlandais pour l'essentiel. On peut se ruiner en achetant un radiateur en arabesque ou se contenter d'articles plus abordables, par exemple des torchons de bar typiques.

HESTER VAN EEGHEN
Chaussures
☎ 626 92 11 ; Hartenstraat 1 ; 🕐 mar-sam ; 🚊 13/14/17 Westermarkt

Les modèles d'Hester Van Eeghen marient les couleurs vives aux formes classiques – ainsi, des bottines vert pomme ou des ballerines rouge et rose. Ses sacs et portefeuilles, vendus au n°37 de la même rue, sont tout aussi intéressants.

LA RÉGLISSE DANS TOUS SES ÉTATS

Les Néerlandais adorent les bonbons, mais particulièrement la *drop*, terme générique désignant la réglisse. Qu'elle soit de texture caoutchouteuse ou dure comme de la semelle, en forme de pièces de monnaie ou de voitures miniatures, ce qui compte vraiment, c'est la différence entre *zoete* (sucrée) et *zoute* (salée, aussi appelée *salmiak*). Cette dernière surprendra les amateurs les plus avertis mais la réglisse se décline avec tant de parfums (menthe, miel, laurier) que tout un chacun devrait trouver son bonheur. Pour une première dégustation, rendez-vous chez Het Oud-Hollandsche Snoepwinkeltje (ci-dessous).

🏠 HET OUD-HOLLANDSCH SNOEPWINKELTJE *Confiserie*
☎ 420 73 90 ;
2e Egelantiersdwarsstraat 2 ;
🚋 3/10 Marnixplein
Une fois les nuées d'enfants repérées, cette boutique de bonbons, remplie du sol au plafond de grands bocaux en verre de friandises (et pas seulement de la réglisse), n'est plus très loin.

🏠 HJ VAN DE KERKHOF
Boutique spécialisée
☎ 623 46 66 ; Wolvenstraat 9-11 ;
🚋 13/14/17 Westermarkt
Voici l'une des plus ravissantes boutiques à l'ancienne des Negen

Straatje, spécialisée dans la passementerie : rubans de dentelle, croquets, cordons de soie, pompons de rideaux, etc. On craque !

🏠 JG BEUNE *Alimentation*
☎ 624 83 56 ; Haarlemmerdijk 156-58 ;
🕑 mar-sam ; 🚋 3 Haarlemmerplein
Cette confiserie ornée d'une foule de lustres propose gâteaux et chocolats depuis 1882. Sa spécialité : la boîte de chocolats en forme d'*amsterdammertjes*, ces bollards qui bordent les trottoirs de la ville. Une bonne idée de cadeau si vous résistez à l'envie de tout manger…

🏠 KITSCH KITCHEN
Articles pour la maison
☎ 622 82 61 ; Rozengracht 8-12 ;
🚋 13/14/17 Westermarkt
On ne s'étonne pas que cette boutique soit si populaire : où que l'on porte le regard, la couleur est partout. On trouve des bavoirs et des sacoches à vélo en tissu mexicain à motif floral, mais aussi des bols thaïlandais en aluminium, des assiettes en mélamine, bref, tout ce qu'il faut pour donner une allure pimpante à son intérieur.

🏠 LA SAVONNERIE
Parfums et cosmétiques
☎ 428 11 39 ; Prinsengracht 294 ;
🕑 lun-sam ; 🚋 13/14/17 Westermarkt
Cette boutique fleurant bon le savon en propose venant du monde entier,

d'Alep comme de Belgique. Mais l'attraction phare reste le choix de quelque 80 savons faits maison aux délicieux parfums naturels.

📷 LAURA DOLS *Mode*
☎ 624 90 66 ; Wolvenstraat 7 ;
🚋 13/14/17 Westermarkt
On trouve ici certains des plus beaux vêtements vintage du pays, au style rétro tendance glamour. La boutique de l'autre côté de la rue (n°6) propose des vêtements et du linge de maison de style rustique.

📷 MARLIES DEKKERS *Mode*
☎ 421 19 00 ; Berenstraat 18 ;
🚋 13/14/17 Westermarkt
L'une des enseignes de la reine de la lingerie néerlandaise (voir p. 100).

📷 MIAUW *Mode*
☎ 422 05 61 ; Hartenstraat 36 ;
🚋 13/14/17 Westermarkt
Analik est l'une des créatrices les plus avant-gardistes d'Amsterdam. Sa boutique donne à voir son propre travail mais aussi des marques européennes, et accueille des expos temporaires de graffitis, d'art graphique et d'art conceptuel.

📷 MONO *Mode*
☎ 427 10 89 ; Haarlemmerstraat 16 ;
🕐 11h-17h30 lun-ven, 11h-18h sam ;
🚋 1/2/5/13/17 Martelaarsgracht
Les propriétaires de cette petite boutique ont commencé sur

Waterlooplein, en vendant des sacs en tissu solides aux imprimés tendance. Ils dessinent notamment des sacs bananes très branchés.

📷 NOORDERMARKT
Mode, alimentation
🕐 8h-13h lun, 9h-15h sam ;
🚋 3 Nieuwe Willemsstraat
La place située devant la Noorderkerk accueille deux marchés : le lundi matin, place aux fripes (à vous de fouiller) et aux vieilles babioles ; le samedi, la plupart des stands de vêtements (mais pas tous) cèdent la place à d'appétissants étals de fromages et de produits bio cultivés dans les environs d'Amsterdam.

📷 PAPABUBBLE *Alimentation*
☎ 626 26 62 ; Haarlemmerdijk 70 ;
🕐 lun-sam ; 🚋 3 Haarlemmerplein
Cette confiserie branchée a tout d'une galerie d'art. Et l'on peut dire qu'il s'y déroule des performances artistiques. Asseyez-vous sur un coussin en haut des marches pour assister à la fascinante transformation du sucre en bonbons aux saveurs étonnantes, pamplemousse ou lavande.

📷 SHIRDAK
Mode, articles pour la maison
☎ 626 68 00 ; Prinsengracht 192 ;
🕐 11h-17h30 lun-ven, 10h-17h sam ;
🚋 13/14/17 Westermarkt

LES QUARTIERS

JORDAAN ET CANAUX OUEST

Vous n'aimez pas les sabots en bois ? Choisissez-en une paire en feutre, décorée d'orteils fantaisie. La boutique propose aussi des vêtements et couvertures, ainsi que des tissus africains, chinois et d'Asie.

🏠 SPRMRKT *Mode, design*
☎ 330 56 01 ; Rozengracht 191-193 ;
🚃 10/13/14/17 Marnixstraat
Que vous vouliez une paire de jeans Acne ultramoulants, une authentique chaise Thor Larsen Pod ou la dernière édition du magazine *Butt*, vous trouverez tout ce qu'il faut dans ce "concept store" à la déco industrielle, boutique incontournable sur la scène design.

🏠 VAN RAVENSTEIN *Mode*
☎ 639 00 67 ; www.van-ravenstein.nl ;
Keizersgracht 359 ; 🕐 13h-18h lun,
11h-18h mar-sam ; 🚃 1/2/5 Spui
La déco minimaliste de la boutique met en valeur les grands noms de la mode néerlandaise et flamande, tels Viktor & Rolf, Ann Demeulemeester et Dries Van Noten, mais aussi d'autres, comme Givenchy.

🏠 YOUR CUP OF T *Mode*
☎ 420 71 53 ; Westerstraat 77 ; 🕐 10h-
14h lun, 14h-19h mer-ven, 12h-18h sam ;
🚃 3/10 Marnixplein
On vient créer son propre T-shirt souvenir dans ce minuscule magasin en sous-sol qui propose une multitude de lettres et dessins à

imprimer au fer chaud. Vous voulez un indémodable ? Les robots fluo !

🍴 SE RESTAURER

🍴 BALTHAZAR'S KEUKEN
Méditerranéen　　　　　　€€
☎ 420 21 14 ; Elandsgracht 108 ;
🕐 18h-23h mer-ven ;
🚃 7/10/17 Elandsgracht
Ce restaurant de quartier – cuisine ouverte et tables donnant l'impression de manger chez un ami – propose un menu fixe (3 plats) qui change toutes les semaines. Ouvert 3 jours par semaine : il est conseillé de réserver.

🍴 BLUE PEPPER
Indonésien　　　　　　€€€
☎ 489 70 39 ; Nassaukade 366 ;
🕐 18h-22h ; 🚃 7/10 Raamplein ; Ⓥ
La cuisine indonésienne est parfois un peu quelconque, mais pas ici. Aux fourneaux, Sonja travaille en artiste, apportant les saveurs du Pacifique à ses plats qui sont servis dans une salle décorée de noir.

🍴 BORDEWIJK *Français*　€€€
☎ 624 38 99 ; Noordermarkt 7 ; 🕐 dîner
mar-dim ; 🚃 3 Nieuwe Willemsstraat
Le chef du Bordewijk, l'un des meilleurs restaurants français d'Amsterdam, propose une cuisine si délicieuse – pâté, os à moelle, bourride – qu'il n'a pas à se soucier d'orner la salle dépouillée de lustres

ou de banquettes en velours. Tables en terrasse au bord du canal l'été.

🍴 BROODJE MOKUM

Sandwicherie €

☎ 623 19 66 ; **Rozengracht 26** ; 🕑 **8h-15h lun-sam** ; 🚊 **13/14/17 Westermarkt**
Il suffit de montrer du doigt l'un des excellents sandwichs proposés et on vous annoncera le prix. Il y a ici plus de place pour s'installer confortablement que dans les autres échoppes à *broodje*.

🍴 BUFFET VAN ODETTE *Café* €

☎ 423 60 34 ; **Herengracht 309** ;
🕑 **8h30-16h30 lun et mer-ven, 10h-17h30 sam et dim** ; 🚊 **1/2/5 Spui** ;
Ⓥ 🐾
Difficile de dénicher un siège dans ce minuscule établissement le week-end, où les nombreux clients se régalent de copieux sandwichs à la viande et d'omelettes au fromage truffé. Côté desserts, le gâteau au toffee et celui à la carotte sont appétissants.

🍴 DE BELHAMEL *Français* €€

☎ 622 10 95 ; **Brouwersgracht 60** ;
🕑 **dîner** ; 🚊 **1/2/5/13/17 Martelaarsgracht** ; Ⓥ
Un superbe restaurant au bord d'un superbe canal : la salle à manger Art nouveau se nimbe d'une belle lumière le soir. La cuisine est tout aussi mémorable, naviguant entre spécialités françaises, italiennes et néerlandaises. Les poissons et fruits de mer sont excellents.

🍴 DE BOLHOED

Végétarien €€

☎ 626 18 03 ; **Prinsengracht 60-62** ;
🕑 **déj et dîner** ;
🚊 **13/14/17 Westermarkt** ; Ⓥ 🐾
Ce restaurant végétarien à l'ancienne sert de généreuses portions de plats italiens, mexicains et du Moyen-Orient depuis des décennies. Arrivez tôt pour profiter de la formule spéciale.

🍴 DE KAASKAMER *Traiteur* €

☎ 623 34 83 ; **Runstraat 7** ; 🚊 **1/2/5 Spui**
Cette superbe fromagerie est la meilleure de la ville pour acheter des fromages de Hollande. Elle vend aussi des olives, des tapenades, des salades et autres victuailles de pique-nique. On peut goûter avant d'acheter, et se faire préparer un panier garni de fromages à emporter.

🍴 DIVAN *Turc* €€

☎ 626 82 39 ; **Elandsgracht 14** ; 🕑 **17h-23h** ; 🚊 **13/14/17 Westermarkt** ; Ⓥ 🐾
Malgré son allure de classique café brun, cet excellent petit établissement est l'un des meilleurs restaurants turcs d'Amsterdam, et le service est particulièrement chaleureux. Nous conseillons les mezze (assortiment d'entrées) et l'agneau en plat principal.

🍴 FESTINA LENTE *Café* €€
☎ 638 14 12 ; **Looiersgracht 40b ; 12h-1h dim et lun, 10h30-1h mar-jeu, 10h30-3h ven et sam ;** 🚊 7/10/17 Elandsgracht ; ♿ **V**
Ce petit restaurant de quartier est typique de la *gezelligheid* du Jordaan : sa clientèle nombreuse d'habitués grignote des spécialités méditerranéennes ou de copieux sandwichs aux noms d'écrivains.

🍴 FOODISM
International €€
☎ 427 51 03 ; **Oude Leliestraat 8 ;** 🕑 11h30-22h lun-ven, 12h30-18h sam et dim ; 🚊 1/2/5/13/17 Raadhuisstraat ; **V** ♿
Ce café sympathique propose de solides petits déjeuners, de copieux sandwichs (nous conseillons celui au fromage de brebis et au chorizo), des plats de pâtes maison, généreux également, ainsi qu'un bon choix de plats végétariens.

🍴 LOS PILONES
Mexicain €€
☎ 620 0323 ; **1e Anjeliersdwarsstraat 6 ;** 🕑 16h-23h30 mar-dim ; 🚊 3/10 Marnixplein ; **V** ♿
Enseigne du restaurant mexicain de Kerkstraat (p. 88).

🍴 MERCAN *Turc* €
☎ 638 01 65 ; **Rozengracht 148 ;** 🕑 8h-17h ; 🚊 10/13/14/17 Marnixstraat ; **V** ♿

Boulangerie turque idéale pour une pause gourmande. Commandez une pizza *turkse* – ou *lahmacun* – avec viande hachée épicée, yaourt crémeux et sauce piquante, roulée dans une pâte croustillante pour être dégustée plus facilement.

🍴 MOEDERS *Néerlandais* €€
☎ 626 79 57 ; **Rozengracht 251 ;** 🕑 dîner ; 🚊 10/13/14/17 Marnixstraat ; **V** ♿
Les clients ont ici leurs propres assiettes et couverts, et les photos de leurs mères (Moeders), le tout dans une joyeuse atmosphère de bric-à-brac. Le menu est à l'avenant : poissons et fruits de mer, plats marocains, *frittata* végétarienne et un *rijsttafel* néerlandais (riz et petites assiettes de plats traditionnels).

🍴 PANCAKES! *Néerlandais* €
☎ 528 97 97 ; **Berenstraat 38 ;** 🕑 10h-19h ; 🚊 13/14/17 Westermarkt ; **V** ♿
Adresse parfaite pour goûter aux pancakes néerlandais sans le décorum kitsch habituel. La clientèle compte autant d'habitués que de touristes. Outre les classiques, on goûte aussi aux créations du jour (à l'aubergine, au fromage et à la chicorée, etc.).

🍴 POMPADOUR *Salon de thé* €
☎ 623 95 54 ; **Huidenstraat 12 ;** 🕑 9h30-17h45 lun-ven, 9h-17h30 sam ; 🚊 1/2/5 Spui

Klary Koopmans
Auteur du blog Alles Over Eten (Tout sur la nourriture, www.klarykoopmans.com)

Réglisse préférée En fait, je n'aime pas tellement la *drop* (p. 66). C'est atypique, je sais, mais je préfère les aliments pleins de saveur, comme le hareng. **Conseils pour la dégustation du poisson** Il faut que le hareng soit vidé juste avant d'être consommé. Si vous voyez une grosse quantité de poissons déjà prêts, c'est mauvais signe. Et même si les petites arêtes qui dépassent du sandwich ne sont pas appétissantes, sachez qu'elles se mangent. **Un en-cas authentique** Allez chez Van Dobben (p. 90) et goûtez un *broodje kroket* (sandwich aux croquettes). L'ambiance animée, les gens qui mangent au comptoir, tout cela est très typique d'Amsterdam. **Bien choisir son restaurant** Les nombreux restaurants de catégorie moyenne sont plutôt quelconques. Mieux vaut opter pour un petit restaurant turc ou surinamien bon marché, et s'offrir de temps en temps un vrai repas gastronomique, par exemple chez Marius (p. 78) ou Le Hollandais (p. 110).

Après vous être promené au Noordermarkt, offrez-vous une tarte aux pommes au Winkel 43

Cette petite pâtisserie/salon de thé à la tapisserie dorée accueille les dames de la bonne société. Le thé et les gâteaux à la française sont excellents, ainsi que les chocolats maison (sur place ou à emporter).

🍴 SEMHAR *Éthiopien* €€
☎ 638 16 34 ; Marnixstraat 259-261 ; 🕑 13h-23h mar-dim ; 🚇 10 Bloemgracht ; Ⓥ ♿

Yohannes réserve un accueil chaleureux à ses clients et se montre très pointilleux sur la qualité de l'*injera* (pain éthiopien) qui permet de saucer les ragoûts épicés et les plats de légumes. Plutôt que de choisir dans le menu, nous optons toujours pour un assortiment.

🍴 SPANJER EN VAN TWIST
Café €€
☎ 639 01 09 ; Leliegracht 60 ; 🕑 10h-22h dim-jeu, 10h-23h ven et sam ; 🚇 13/14/17 Westermarkt ; ♿

Juste au nord de la maison d'Anne Frank, les tables de ce café installées dans Leliegracht sont parfaites pour regarder passer les bateaux, en dégustant un gâteau l'après-midi. Les menus éclectiques du déjeuner et du dîner sont très bons.

🍴 STOUT *Café* €€
☎ 616 36 64 ; Haarlemmerstraat 73 ; 🕑 10h-23h lun-sam, 12h-23h dim ; 🚇 1/2/5/13/17 Martelaarsgracht ; Ⓥ

Une foule élégante se presse ici pour lire des magazines de design et savourer des plats de cuisine fusion (soupe carotte/coriandre, tempeh épicé, burger au poulet thaï accompagné de kimchi, et milk-shakes aux fruits). *Stout* signifie "coquin" : de fait, le flirt semble ici une activité prisée.

🍴 UNLIMITED DELICIOUS
Pâtisserie €
☎ 622 48 29 ; Haarlemmerstraat 122 ; 🕙 lun-sam ; 🚊 1/2/5/13/7 Martelaarsgracht

On est tenté de dévorer les superbes tartes et gâteaux, mais il faut attendre d'avoir goûté aux chocolats maison, particulièrement ceux fourrés aux fruits. Dégustez votre sélection avec un café, ou faites-la envelopper pour l'emporter.

🍴 WILGRAANSTRAFRITESHUIS
Fast-food €
☎ 624 40 71 ; Westermarkt 11 ; 🕙 11h-18h ; 🚊 13/14/17 Westermarkt ; 🚻 Ⓥ 🚼

Ce petit stand proche de la maison d'Anne Frank sert des frites à la mayonnaise – dorées, croustillantes et légères à souhait – depuis 1956.

🍴 WINKEL 43 *Café* €
☎ 623 02 23 ; Noordermarkt 43 ; 🕙 petit déj, déj et dîner ; 🚊 3 Nieuwe Willemsstraat ; 🚼

Ce vaste café avec tables en intérieur et en extérieur propose des repas, mais les gens viennent surtout pour la tarte aux pommes. Mieux vaut éviter les jours de marché (lundi et samedi), car la file d'attente est souvent longue.

🍸 PRENDRE UN VERRE

🍸 BARNEY'S *Coffee shop*
☎ 625 97 61 ; Haarlemmerstraat 102 ; 🕙 7h-20h ; 🚊 1/2/5/13/17 Martelaarsgracht

Barney doit sa renommée à ses breakfasts anglais bon marché servis toute la journée (de même que la marijuana). La qualité de cette dernière s'est améliorée ; malheureusement, les breakfasts sont désormais servis en face, au Barney's Lounge (pratique mais pas aussi bon enfant et économique qu'avant), qui ferme à 15h.

🍸 DE KAT IN DE WIJNGAERT
Café brun
☎ 620 45 54 ; Lindengracht 160 ; 🚊 3 Nieuwe Willemsstraat

Ce bar ravissant rivalise avec le 't Smalle (p. 76) en termes de *gezelligheid*. On vient prendre une bière et puis… on finit par en boire plusieurs. La faute sans doute à la mauvaise influence de la vieille garde d'artistes dont c'est le repaire. Autre bon point : le café sert paraît-il les meilleurs *tosti* (sandwichs toastés) de la ville.

▼ DE KOE *Bar*
☎ 625 44 82 ; Marnixstraat 381 ;
🚊 7/10 Raamplein

Au menu : flipper, fléchettes, jeux de plateau, repas savoureux et bon marché. Autant dire qu'on ne s'ennuie jamais chez "La Vache", un établissement décontracté, installé sur 2 étages, non loin de Leidseplein.

▼ DE PELS *Café brun*
☎ 622 90 37 ; Huidenstraat 25 ;
🚊 1/2/5 Spui

Dans ce *bruin café* défraîchi, on vient boire un verre et lire les journaux. C'est aussi une adresse très prisée pour le petit déjeuner dominical.

▼ DE TWEE ZWAANTJES
Café brun
☎ 625 27 29 ; Prinsengracht 114 ;
🚊 13/14/17 Westermarkt

Des crooners aux cheveux longs et aux chemises fripées chantent des airs nostalgiques, au son d'un accordéon. Ce bar étroit vous changera des lounges branchés et vous pourrez même reprendre en chœur : *Oh Amsterdam, wat ben je mooi…* ("Oh Amsterdam, comme tu es belle…") L'été : café karaoké.

▼ DE ZOTTE *Bar à bières*
☎ 626 86 94 ; Raamstraat 29 ;
🚊 7/10 Raamplein

Ce petit bar à bières belges près de Leidseplein propose une bière spéciale chaque semaine.

Les moines trappistes brassant des bières parfois fortes, n'hésitez pas à les accompagner d'une assiette de fromages ou d'un steak – la cuisine est ouverte de 18h30 à 21h.

▼ FINCH *Café*
☎ 626 24 61 ; Noordermarkt 5 ;
🕐 9h-1h dim-jeu, 9h-3h ven et sam ;
🚊 3 Nieuwe Willemsstraat

Ce café lounge insolite est l'un des lieux de rendez-vous des habitants branchés du Jordaan. Lorsque le bar Proust voisin se remplit, l'endroit devient lui aussi très animé.

▼ GREY AREA *Coffee shop*
☎ 420 43 01 ; Oude Leliestraat 2 ;
🕐 12h-20h ;
🚊 1/2/5/13/17 Raadhuisstraat

Tenu par des Nord-Américains, ce minuscule établissement aux murs couverts d'autocollants propose des spécialités, tel le "Double Bubble-Gum" à des habitués. L'habitude américaine de remplir les tasses de café vides se perpétue (café bio).

▼ HET MOLENPAD *Café brun*
☎ 625 96 80 ; Prinsengracht 653 ;
🕐 12h-1h dim-jeu, 12h-2h ven et sam ;
🚊 1/2/5 Prinsengracht

La terrasse au bord du canal est si agréable pour profiter du soleil de l'après-midi que nous ne savons même pas à quoi ressemble l'intérieur ! Les assiettes d'en-cas sont idéales pour grignoter à plusieurs.

�**LA TERTULIA** *Coffee shop*
☎ **623 85 03 ; Prinsengracht 312 ;**
🕙 **11h-19h mar-sam ;**
🚊 **7/10/17 Elandsgracht**
En bord de canal, cet établissement
empli de plantes propose une
gamme de marijuana restreinte, de
délicieux jus de fruits, des tisanes et
des sandwichs toastés.

�**ROKERIJ** *Coffee shop*
☎ **626 30 60 ; Elandsgracht 53 ;**
🚊 **7/10/17 Elandsgracht**
Enseigne de l'établissement de
Leidseplein (p. 91), mais décorée sur
le thème indien. Une autre adresse
située au n°8 de Singel compte un
intérieur encore plus déjanté.

�**SAAREIN II** *Gay et lesbien*
☎ **623 49 01 ; Elandsstraat 119 ;** 🕙 **16h-
1h mar-jeu et dim, 16h-2h ven, 12h-2h
sam ;** 🚊 **7/10/17 Elandsgracht**
Le Saarein était un repaire de
féministes dans les années 1970 et

pratiquait une sélection stricte à
l'entrée (femmes uniquement). Il
s'est assoupli depuis et se présente
comme un "café gay mixte", bien
que la clientèle reste à majorité
féminine.

☒**SANEMENTERENG***Coffeeshop*
☎ **624 19 07 ; 2e Laurierdwarsstraat 44 ;**
🚊 **10/13/14/17 Marnixstraat**
Après avoir jeté un coup d'œil aux
babioles d'occasion en vente sur
le trottoir, on se retrouve à acheter
une assiette en faïence de Delft
ébréchée, voire une gramme de ganja
cultivée en plein air. Les horaires
sont aléatoires, mais l'établissement
ouvre généralement vers 14h.

☒**SIMON LÉVELT** *Café*
☎ **624 08 23 ; Prinsengracht 180 ;**
🕙 **10h-18h lun-ven, 10h-17h sam,
13h-17h dim ;** 🚊 **13/14/17 Westermarkt**
La maison Lévelt vend du thé et du
café aux Pays-Bas depuis plus de

À L'OUEST, QUE DU NOUVEAU
"L'Ouest est le nouveau Centrum" annonce le **Club 8** (☎ 685 17 03 ; www.club-8.nl ;
en néerlandais ; Admiraal de Ruijterweg 56b ; 🚊 12/13/14 Admiraal de Ruijterweg),
discothèque à la déco dépouillée, installée dans le quartier à l'ouest du Jordaan. Sans vouloir
éradiquer le centre-ville officiel, il faut admettre que cet établissement et quelques autres
lieux de sortie nocturne méritent la visite, par exemple : **De Nieuwe Anita** (☎ 064-150 35
12 ; www.denieuweanita.nl, en néerlandais ; Frederik Hendrikstraat 111 ; 🚊 3 Hugo de
Grootplein), sorte de lounge à l'ambiance artistique ; le **Zaal 100** (☎ 688 01 27 ; www.
zaal100.nl ; De Wittenstraat 100 ; 🚊 10 De Wittenkade), qui accueille une jam-session
le mardi ; et l'espace artistique multiculturel **Podium Mozaïek** (☎ 580 03 80 ; www.
podiummozaiek.nl ; Bos en Lommerweg 191 ; 🚊 12/14 Bos en Lommerweg).

deux siècles. Vous pouvez d'ailleurs admirer sa devanture d'origine. On trouve un joli petit jardin à l'arrière de la boutique.

☿ SOUND GARDEN Bar
☎ 620 28 53 ;
Marnixstraat 164-166 ;
🚋 10/13/14/17 Marnixstraat
La musique d'ambiance de ce bar assez fouillis privilégie surtout le rock grunge et indépendant. Un détail d'importance : la grande terrasse donne sur le canal à l'arrière. Vous trouverez également sur place un flipper et des boissons bon marché.

☿ STRUIK Bar, café
Rozengracht 160 ;
🚋 10/13/14/17 Marnixstraat
Si vous préférez les sons hip-hop, le breakbeat et la musique soul, optez pour ce café décontracté qui propose une cuisine savoureuse (*roti* le mardi, brunch le dimanche). Un DJ se charge de l'animation le week-end.

☿ 'T SMALLE Café brun
☎ 623 96 17 ; **Egelantiersgracht 12 ;**
🕐 10h-1h ; 🚋 13/14/17 Westermarkt
On n'imagine pas plus convivial que cette terrasse en bord de

Le soleil capricieux daigne enfin se montrer à la terrasse du Finch (p. 74)

canal par une journée ensoleillée, mais l'intérieur XVIIIᵉ siècle est parfait aussi pendant la saison froide. Preuve de la vitalité de la *gezelligheid* du lieu : son bar reste toujours aussi typique et est fréquenté par les habitués du coin, bien que l'établissement soit indiqué dans tous les guides de voyage.

☆ VYNE *Bar à vins*
☎ 344 64 08 ; Prinsengracht 411 ;
🕑 18h-minuit lun-jeu, 17h-1h ven et sam, 16h-23h dim ;
🚇 13/14/17 Westermarkt ; ♿ Ⓥ
Cet établissement élégant est l'un des rares bars à vins de la ville. Un en cas spécial est proposé pour accompagner chaque cru digne de ce nom. Nous recommandons particulièrement les Love Bites – des *bitterballen* (minicroquettes) végétariennes.

☆ WOLVENSTRAAT *Café*
☎ 320 08 43 ; Wolvenstraat 23 ;
🕑 9h-1h dim-jeu, 9h-3h ven et sam ;
🚇 13/14/17 Westermarkt
En journée, on s'y presse pour prendre un petit rafraîchissement (goûtez au cocktail babeurre/jus d'orange, un pur délice). Le soir, le Wolvenstraat se transforme en un bar décontracté, qui passe de la musique diverse, de Biz Markie à The Clash.

☆ SORTIR

COC AMSTERDAM
Gay et lesbien
☎ 626 30 87 ; www.cocamsterdam.nl, en néerlandais ; Rozenstraat 14 ;
🚇 13/14/17 Westermarkt
Le QG de l'association nationale des gays et lesbiennes organise des fêtes hebdomadaires et autres rassemblements.

☆ DECO SAUNA *Sauna*
☎ 623 82 15 ; Herengracht 115 ; 19,50 € ;
🕑 12h-23h lun et mer-sam, 15h-23h mar, 13h-20h dim ; 🚇 1/2/5/13/17 Nieuwezijds Kolk
Ce superbe sauna de style Art déco est idéal pour se détendre par un après-midi de grisaille. Attention : nudité obligatoire dans cet établissement mixte jusque dans les vestiaires.

☆ FELIX MERITIS
Espace culturel et artistique
☎ 626 13 11 ; www.felixmeritis.nl, en néerlandais ; Keizersgracht 324 ;
🕑 guichet 10h-17h lun-sam ;
🚇 13/14/17 Westermarkt ; ♿
Fondé en 1777, ce bel espace culturel et artistique accueille à l'occasion du théâtre expérimental européen, des spectacles de musique et danse novateurs, des conférences et des lectures. Mention spéciale pour le café aux immenses fenêtres.

MÉRITE LE DÉTOUR

Au nord du Jordaan, les Westelijke Eilanden (îles occidentales) accueillaient à l'origine des chantiers navals et les entrepôts de la Compagnie des Indes occidentales. Ce quartier est un monde à part, sillonné de canaux qu'enjambent de petits ponts à bascule. Vous y trouverez des ateliers d'artistes et le restaurant **Marius** (☎ 422 78 80 ; Barentszstraat 243 ; 🕐 dîner mar-sam ; 🚊 3 Zoutkeetsgracht), dont le chef, Kees, est un élève de Chez Panisse, en Californie.

À l'ouest de ces îles, **Het Schip** (☎ 418 28 85 ; www.hetschip.nl ; Spaarndammerplantsoen 140 ; adulte/enfant/réduction 5/2/2,75 € ; 🕐 13h-17h mer-dim ; 🚊 22 Zaanstraat) est une construction absolument fabuleuse. Ces anciens logements, véritable pinacle (au sens littéral si l'on se réfère à la tour immense) de l'école d'Amsterdam (voir l'encadré p. 106), renferment aujourd'hui un petit musée en trois parties : jetez un coup d'œil à l'ancienne poste, puis visitez un appartement et prenez un verre au salon de thé.

De Het Schip, on peut rebrousser chemin vers le sud-est en longeant la voie ferrée et couper par un petit passage souterrain pour rejoindre Westerpark. Ce vaste espace verdoyant est un endroit assez tendance, sans doute en raison de son voisinage avec la **Westergasfabriek** (☎ 586 07 10 ; www.westergasfabriek.nl ; Haarlemmerweg 8-10 ; 🚊 3 Haarlemmerplein), usine à gaz reconvertie en espace culturel d'avant-garde comptant des bars, des salles de concerts et des restaurants.

⭐ **MALOE MELO** *Musique live*
☎ **420 45 92 ; Lijnbaansgracht 163 ;**
🕐 **21h-3h, 21h-4h ven et sam ;**
🚊 **7/10/17 Elandsgracht**
Berceau de la scène blues d'Amsterdam, cette salle très animée et décontractée programme aussi du bluegrass et de la soul. Juste à côté, le **Korsakoff** (☎ 625 78 54 ; Lijnbaansgracht 161) passe de la musique gothique et new wave.

⭐ **MOVIES** *Cinéma*
☎ **638 60 16 ; www.themovies.nl ; Haarlemmerdijk 157-165 ; adulte/ étudiant/enfant 8/7/6,50 € ;** 🕐 **13h30-minuit ;** 🚊 **3 Haarlemmerplein**
Les productions indépendantes (souvent en anglais) sont reines dans ce superbe cinéma Art déco. Le restaurant Wild Kitchen propose une formule incluant un menu de 2 plats et un billet de cinéma pour 28 €.

CEINTURE DES CANAUX SUD

La portion sud de la Grachtengordel, achevée à la fin du XVIIe siècle, époque de grande prospérité pour Amsterdam, est encore plus cossue que la ceinture des canaux ouest. Les demeures deux fois plus larges de la Gouden Bocht (Boucle d'or) – la partie de Herengracht comprise entre Leidsestraat et Vijzelstraat – et de divers styles architecturaux, se fondent en un ensemble harmonieux. Ces intérieurs sont également somptueux, du moins à en juger par les devantures de Nieuwe Spiegelstraat, la rue d'Amsterdam qui concentre les plus belles boutiques d'antiquaires.

Le halo doré de la richesse historique cède le pas à la lumière clinquante des néons de Leidseplein et Rembrandtplein. Débouchant sur Leidseplein, la rue de Leidsestraat se distingue par ses nombreuses boutiques de chaussures et de fast-foods. Au sud de Rembrandtplein, l'Utrechtsestraat baigne dans une atmosphère plus chic, avec ses boutiques et ses excellents restaurants.

CEINTURE DES CANAUX SUD

Voir carte p. 82-83

Bloemenmarkt, le célèbre marché aux fleurs d'Amsterdam

VOIR

◉ BLOEMENMARKT

Singel entre Koningsplein et Muntplein ;
9h-17h30 lun-sam, 11h-17h30 dim ;
1/2/5 Koningsplein

Ouvert depuis les années 1860, le marché aux fleurs en bord de canal date de l'époque où les horticulteurs remontaient l'Amstel et vendaient leur production depuis leurs bateaux. On trouve bien plus de bulbes que de fleurs coupées, de sorte que le feu d'artifice de couleurs attendu n'est pas au rendez-vous. Toutefois, l'endroit reste agréable pour flâner, voire acheter un bouquet pour sa chambre d'hôtel.

◉ DE APPEL

622 56 51 ; www.deappel.nl ; Nieuwe Spiegelstraat 10 ; 7 € ; 11h-18h mar-sam ; 16/24/25 Keizersgracht ; ♿

Cet espace artistique contemporain et avant-gardiste accueille des expositions audacieuses d'art conceptuel qui, ancrées dans la théorie tout en restant en prise avec la vie quotidienne, demeurent très accessibles.

◉ FOAM

Fotografiemuseum Amsterdam ; 551 65 00 ; www.foam.nl ; Keizersgracht 609 ; 7/5 € ; 10h-18h sam-mer, 10h-21h jeu et ven ; 16/24/25 Keizersgracht

Au bord du canal, dans une demeure très modernisée, cet espace accueille des expos temporaires de grands noms de la photographie, tels que Richard Avedon, ou d'artistes moins connus, comme Malick Sidibé, portraitiste malien. Le musée édite un magazine et les photographes y rencontrent de temps à autre le public.

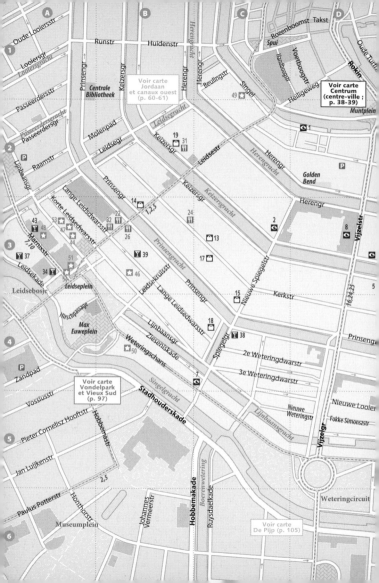

A
B
C
D

1
Oude Looiersstr
Looiersgracht
Looiersgracht
Passeerdersstr
Passeerdersgr
Passeerdersgr

Runstr
Huidenstr

Prinsengr
Keizersgr
Herengr
Herengracht
Herengr
Beulingstr

Rozenboomst Takstr
Spui
Voetboogstr
Handboogstr
Heiligeweg

Rokin
Oude Turfm

Centrale
Bibliotheek

Voir carte
Jordaan
et canaux ouest
(p. 60-61)

Singel
49

Voir carte
Centrum
(centre-ville ;
p. 38-39)

Muntplein

2
Lijnbaansgr
Raamstr

Molenpad
Leidsegr
Leidsegr

Keizersgr
Leidsestr
19
31

Keizersgr
Keizersgracht

Herengr
Herengr

1

Golden
Bend
Herengr

P

Prinsengr
Lange Leidsedwarsstr
Korte Leidsedwarsstr

14
1,2,5

32
22

24

2

Vijzelstr

3
43
48
42
Marnixstr
37
34
53
51
44
26
Prinsengracht
39
46
13
17

15
Nieuwe Spiegelstr
Kerkstr
8

16,24,25
5

Leidsekade
Leidsebosje
Leidseplein

Hirschpassage
Max
Euweplein

Lange Leidsedwarsstr
Leidsekruisstr
Prinsengr

18
38
Spiegelgr

Prinsengr

4
Zandpad

P

Voir carte
Vondelpark
et Vieux Sud
(p. 97)

Lijnbaansgr
Ziesenskade
Weteringschans
50

Singelgracht

1

2e Weteringdwarsstr
3e Weteringdwarsstr

Nieuwe
Wetering
Nieuwe Looier
Fokke Simonszstr

Prinsengr

5
Vossiusstr
Pieter Cornelisz Hooftstr
Jan Luijkenstr
Hobbemastr

Stadhouderskade

Hobbemakade
Boerenwetering

Lijnbaansgracht

Vijzelgr

Weteringcircuit

6
Paulus Potterstr
Honthorst
Museumplein
2,5

Johannes
Vermeerstr
Ruysdaelkade

Voir carte
De Pijp (p. 105)

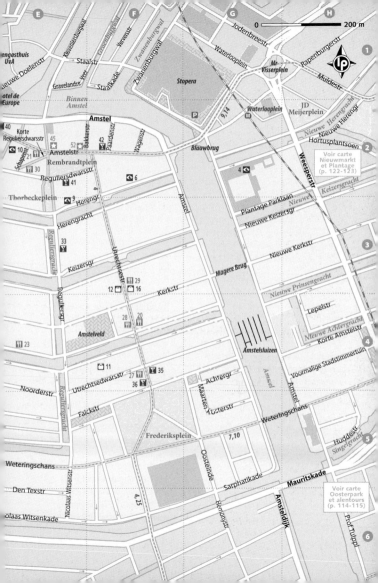

Voir carte
Nieuwmarkt
et Plantage
(p. 122-123)

Voir carte
Oosterpark
et alentours
(p. 114-115)

HERMITAGE AMSTERDAM

☎ 530 87 55 ; www.hermitage.nl ; Nieuwe Herengracht 14 ; 7 €/gratuit ; ◷ 10h-17h ; ▤ 9/14 Waterlooplein

Quand on connaît l'admiration de Pierre le Grand pour l'Amsterdam du Siècle d'or (dont les canaux ont servi de modèle à ceux du centre de Saint-Pétersbourg), on ne s'étonne guère de trouver ici cette annexe du célèbre musée de l'Hermitage. L'espace principal, le vaste Amstelhof, qui recueillait les personnes âgées depuis le XVIIᵉ siècle, ouvrira ses portes à la mi-2009. En attendant, on ne peut voir qu'une petite collection dans un bâtiment attenant.

MUSEUM VAN LOON

☎ 624 52 55 ; www.museumvanloon.nl ; Keizersgracht 672 ; 6/4 € ; ◷ 11h-17h mer-lun ; ▤ 16/24/25 Keizersgracht

Cette demeure de 1672, le plus beau des musées du genre, fut d'abord celle du peintre Ferdinand Bol. Au XIXᵉ siècle, la famille Van Loon (qui descend de Willem Van Loon, cofondateur de la Compagnie néerlandaise des Indes orientales) s'y installa. Commencez par la vidéo de présentation au sous-sol, dans laquelle un membre de la famille raconte les visites rendues à sa grand-mère, puis flânez dans les pièces sombres ornées de belles tapisseries, de vieux tapis et de mobilier Louis XV.

MUSEUM WILLET-HOLTHUYSEN

☎ 523 18 22 ; www.willetholthuysen.nl ; Herengracht 605 ; 5/2,50 € ; ◷ 10h-17h lun-ven, 11h-17h sam et dim ; ▤ 4/9/14 Rembrandtplein

En 1895, une riche veuve donna à la ville cette maison ainsi que les trésors qu'avait collectionnés son époux (mobilier, tableaux et porcelaine de Chine du XVIIIᵉ siècle). C'est, depuis, un musée, un peu plus apprêté que le musée Van Loon, mais plein d'objets ravissants.

REFLEX MODERN ART GALLERY

☎ 627 28 32 ; www.reflex-art.nl ; Weteringschans 79a ; entrée libre ; ◷ 11h-18h mar-sam ; ▤ 7/10 Spiegelgracht

Voici la plus grande galerie d'art (marchande) de la ville. Vous y trouverez les œuvres de Karel Appel, Willem De Kooning et Jeff Koons. De l'autre côté du carrefour, au n°83 de Weteringschans, d'autres œuvres contemporaines sont exposées, par exemple de David LaChapelle et Nobuyoshi Araki.

STADSARCHIEF

Archives municipales ; ☎ 251 15 11 ; www.stadsarchief.amsterdam.nl, en néerlandais ; Vijzelstraat 32 ; entrée libre, audio-guide 4 € ; ◷ 10h-17h mar-ven, 11h-17h dim ; ▤ 16/24/25 Keizersgracht ; ♿

Les archives d'Amsterdam occupent les locaux d'une banque datant de 1923. En entrant, prenez à gauche en direction de l'immense voûte du sous-sol. Vous y découvrirez, par exemple, le rapport de police concernant le vol du vélo d'Anne Frank (1942). Un petit cinéma, dans le fond, projette des films d'époque sur la ville. À l'étage, la galerie est consacrée aux expos temporaires (droit d'entrée modique) et compte une intéressante librairie. Visites guidées gratuites du bâtiment à 13h du mardi au vendredi, et à 15h le samedi et le dimanche.

📷 TASSENMUSEUMHENDRIKJE
☎ 524 64 52 ; www.tassenmuseum.nl ; Herengracht 573 ; 6,50/5 € ; 🕙 10h-17h ; 🚊 4/9/14 Rembrandtplein

Cette demeure cossue en bord de canal, qui abrite un musée consacré aux sacs à main, intéressera même ceux que la mode laisse indifférents. Seul bémol : les légendes ne sont pas très complètes.

📷 TUSCHINSKITHEATER
☎ 626 26 33 ; www.pathe.nl, en néerlandais ; Reguliersbreestraat 26 ; 9-10 € ; 🕙 12h-22h ; 🚊 4/9/14 Rembrandtplein

Construit en 1921, ce fantastique cinéma mêle les styles Art déco et école d'Amsterdam. L'intérieur, fidèlement restauré, s'orne notamment d'un grand tapis

tissé à la main et d'une superbe coupole. Il vous faudra voir une superproduction hollywoodienne pour pouvoir admirer la magnifique salle principale, à moins de vous contenter de la "salle japonaise" de l'étage. Pour le contraste, jetez un coup d'œil au bâtiment austère et fonctionnaliste du Cineac, construit de l'autre côté de la rue dix ans plus tard. Étonnant, non ?

🛍 SHOPPING
🛍 BEBOB DESIGN *Design*
☎ 624 57 63 ; Prinsengracht 764 ; 🕙 11h-18h et 19h-21h jeu, 11h-18h ven-sam ; 🚊 4 Prinsengracht

Quiconque aime les chaises années 1950 trouvera son bonheur dans cette excellente boutique/ entrepôt d'occasion qui propose des pièces dessinées par Eames, Aalto et d'autres. Possibilité d'organiser la livraison, même si une pendule de George Nelson entre parfaitement dans une valise à roulettes.

🛍 CONCERTO *Musique*
☎ 623 52 28 ; Utrechtsestraat 52-60 ; 🕙 10h-18h lun-mer, ven et sam, 10h-21h jeu, 12h-18h dim ; 🚊 4 Keizersgracht

Installée dans plusieurs bâtiments, cette boutique est parfaite pour fouiner, grâce à son choix éclectique (souvent bon marché) de disques, CD et DVD neufs et d'occasion. Grande facilité d'écoute sur place.

☐ CONSCIOUS DREAMS DREAMLOUNGE *Smartshop*
☎ 626 69 07 ; www.consciousdreams. nl ; Kerkstraat 113 ; 🕙 11h-21h mar-sam, 12h-18h dim et lun ; 🚋 1/2/5 Prinsengracht

Le premier *smartshop* d'Amsterdam (il a ouvert en 1993) propose une approche holistique : outre les diverses drogues douces (assorties de conseils du personnel), il vend des vitamines et autres cocktails de produits naturels qui aident à se remettre des nuits blanches.

☐ CORA KEMPERMAN *Mode*
☎ 625 12 84 ; Leidsestraat 72 ; 🚋 1/2/5 Prinsengracht

En toute saison, les collections de Cora Kemperman, d'inspiration ethnique, font la part belle aux tissus naturels, à l'aspect chiffonné et aux couches multiples.

☐ EDUARD KRAMER *Antiquités*
☎ 623 08 32 ; Nieuwe Spiegelstraat 64 ; 🚋 16/24/25 Keizersgracht

Minuscule boutique spécialisée dans les tesselles néerlandaises anciennes, proposant aussi des bougeoirs en argent, des carafes en cristal, des bijoux et des montres à gousset.

☐ FRED DE LA BRETONIÈRE *Chaussures*
☎ 626 96 27 ; Utrechtsestraat 77 ; 🕙 13h-18h lun, 10h-18h mar, mer

et ven, 10h-21h jeu, 10h-17h sam, 12h-17h dim ; 🚋 4 Keizersgracht

Enseigne de la marque néerlandaise (p. 45).

☐ LAMBIEK *Livres*
☎ 626 75 43 ; Kerkstraat 132 ; 🕙 11h-18h lun-ven, 11h-17h sam, 13h-17h dim ; 🚋 16/24/25 Keizersgracht

Librairie spécialisée ouverte depuis 1968, abritant un choix impressionnant de BD underground et vignettes de journaux, aux côtés des classiques *Tintin* et *Astérix*. La galerie expose un art récent inspiré de la BD.

☐ TINKERBELL *Enfants*
☎ 625 88 30 ; Spiegelgracht 10 ; 🕙 lun-sam ; 🚋 7/10 Spiegelgracht

L'ours mécanique qui fait des bulles dans la vitrine fascine toujours autant les enfants et l'intérieur abrite un excellent choix de jouets en bois, déguisements, peluches et autres jouets *sans* piles.

☐ YOUNG DESIGNERS UNITED *Mode*
☎ 626 91 91 ; Keizersgracht 447 ; 🕙 13h-18h lun, 10h-18h mar-sam ; 🚋 1/2/5 Keizersgracht

Les jeunes créateurs néerlandais représentés ici ont chacun leur portant. Le choix est vaste, des fourreaux asymétriques de style abstrait aux redingotes fleuries, le tout pour des prix très raisonnables.

Yasmina Aboutaleb
Critique de la rubrique "culture" de CJP, magazine pour jeunes

La meilleure affaire Les billets de cinéma sont économiques et les films sont souvent sous-titrés en anglais. **À l'affiche** On a l'impression de ne pouvoir assister à un spectacle sans qu'un type joue du piano le sexe à l'air. Les metteurs en scène appellent cela la "nudité fonctionnelle". **Who's who** Toneelgroep Amsterdam est la plus grande troupe de théâtre. DNA a fait quelques spectacles sur l'islamisme, un sujet un peu tabou. **La diversité sur scène** Il arrive que je sois la seule métisse dans la salle. Pour retrouver des gens comme moi, je dois aller dans le quartier ouest, au Podium Mozaïek (p. 75), par exemple. **L'après-Theo** Quelques artistes se sont rassemblés pour réclamer plus de liberté de parole. D'autres ont appelé à plus de nudité. Un metteur en scène a même dit : "Un sein ne blesse pas, un bras, si !" **Après le spectacle** Tout le monde va chez De Smoeshaan (p. 91) mais je préfère De Doelen (p. 130), un lieu un peu désuet où on peut piocher dans le bocal d'œufs au vinaigre posé sur le comptoir.

🍴 SE RESTAURER

🍴 COFFEE & JAZZ *Indonésien* €

☎ 624 58 51 ; Utrechtsestraat 113 ;
🕐 11h-23h mar-ven, 10h-16h sam ;
🚊 4 Prinsengracht ; Ⓥ

Cet établissement est typique de l'excentricité amstellodamoise – un must pour les fous de jazz ou ceux qui aiment les adresses douillettes gérées par un patron passionné.

🍴 FEBO *Fast-food* €

☎ 620 86 15 ; Leidsestraat 94 ;
🕐 11h-3h dim-jeu, 11h-4h ven et sam ;
🚊 1/2/5 Prinsengracht ; ♿ Ⓥ 🚹

Cette chaîne a beau être une icône aux Pays-Bas, elle ne nous a guère enthousiasmé. Les sandwichs au *bami* brûlent la gorge, la *frikadel* n'est pas appétissante et le *kaassoufflé* n'a rien d'un soufflé. Pourtant, acheter un en-cas dans ces distributeurs jaunes est une vraie tradition. En tout cas, les frites (vendues au comptoir) servies avec de la sauce sont très bonnes. Vous trouverez une autre enseigne près de Rembrandtplein (Reguliersbreestraat 38), mais pour tout ce qui est frit, rendez-vous plutôt chez l'incontournable Van Dobben (p. 90).

🍴 LE ZINC…ET LES AUTRES *Français* €€

☎ 622 90 44 ; Prinsengracht 999 ;
🕐 17h30-23h mar-sam ;
🚊 4 Prinsengracht ; Ⓥ

Dans une ancienne demeure en bord de canal, ce restaurant intimiste joue avec succès la carte du temps jadis. Adresse très romantique, il propose un menu de classiques – pigeon, lapin – à déguster avec des crus choisis pour chaque plat.

🍴 LOS PILONES *Mexicain* €€

☎ 320 46 51 ; Kerkstraat 63 ;
🕐 16h-23h30 mar-sam ;
🚊 1/2/5 Prinsengracht ; Ⓥ 🚹

Voici un excellent restaurant mexicain, avec aux fourneaux de vrais Mexicains qui savent comment on prépare une authentique *cochinita pibil*. Si on ne vient pas en premier lieu à Amsterdam pour manger mexicain, il faut néanmoins signaler cette adresse de qualité, tant pour les plats que pour l'ambiance, festive et décontractée.

🍴 MAOZ *Fast-food* €

☎ 420 74 35 ; Muntplein 1 ; 🕐 11h-1h dim-jeu, 11h-3h ven et sam ;
🚊 4/9/14/24/25 Muntplein ; ♿ Ⓥ 🚹

Le falafel, un en-cas libanais qui a sauvé bien des végétariens dans le monde entier, est la spécialité de cette minichaîne qui existe maintenant ailleurs qu'aux Pays-Bas. Comptez 4 € pour un falafel et un imposant buffet à volonté de salades d'accompagnement. Il existe une autre enseigne au n°85 de Leidsestraat.

LA DÉGUSTATION DU HARENG

L'"Hollandse Nieuwe" désigne les prises de harengs du mois de juin. La date précise du début de la saison varie en fonction de l'arrivée à maturité des jeunes poissons. C'est l'occasion d'une fête semblable à celle du beaujolais nouveau. Si la tradition néerlandaise veut que l'on glisse le *haring* dans sa bouche, la tête renversée en arrière, il n'en est pas ainsi à Amsterdam où le poisson, coupé en petits cubes, se picore avec un cure-dents, accompagné d'*eitjes* (oignons émincés) et de *zuur* (pickles). Délicieux, le *broodje haring* est encore plus pratique puisque le pain du sandwich évite que l'on se graisse les doigts.

🍴 PATA NEGRA
Espagnol   €€

☎ 422 62 50 ; Utrechtsestraat 142 ;
🕑 midi-minuit dim-jeu, 12h-1h ven et sam ; 🚊 4 Prinsengracht
Ce restaurant sert des crevettes à l'ail, des sardines grillées et d'autres gourmandises depuis plus de dix ans. Il est parfois plein à craquer, surtout le week-end – arrivez avant 18h30 ou réservez. La cuisine est ouverte jusqu'à 23h (23h30 le week-end).

🍴 SEGUGIO
Italien   €€€

☎ 330 15 03 ; Utrechtsestraat 96 ;
🕑 18h-23h lun-sam ;
🚊 4 Prinsengracht ; 🅥
Ce restaurant italien raffiné d'Utrechtsestraat est l'un des meilleurs d'Amsterdam. Ses tables espacées et sa cuisine à base d'ingrédients de première fraîcheur (truffes, noix de Saint-Jacques) en font une adresse idéale pour un tête à tête romantique, même si on n'y trouve pas de bougies.

🍴 TEMPO DOELOE
Indonésien   €€

☎ 625 67 18 ; Utrechtsestraat 75 ;
🕑 18h-23h30 ; 🚊 4 Keizersgracht ; 🅥
Restaurant indonésien parmi les plus réputés, celui-ci est aussi plus élégant que bien d'autres. Bonne adresse pour goûter au *rijsttafel* si on voyage seul (beaucoup d'établissements ne le servent que pour deux), même si les plats à la carte sont meilleurs. Belle carte des vins, réservation impérative.

🍴 TUJUH MARET
Indonésien   €€

☎ 427 98 65 ; www.tujuh-maret.com ; Utrechtsestraat 73 ; 🕑 déj lun-sam, dîner tlj ; 🚊 4 Keizersgracht ; ♿ 🅥 🍴
Les propriétaires du Tempo Doeloe (ci-dessus) gèrent aussi cet établissement plus décontracté, situé juste à côté, où savourer des plats épicés (bœuf séché ou poulet en sauce au piment rouge) et du *rijsttafel* (toutefois, il est préférable de choisir un plat au smenu).

🍴 VAN DOBBEN
Sandwicherie €

☎ 624 42 00 ; Korte
Reguliersdwarsstraat 5 ;
🕒 9h30-1h lun-ven, 9h30-2h
sam, 11h30-20h dim ;
🚊 4/9/14 Rembrandtplein

Murs carrelés de blanc, serveurs
en veste blanche qui prennent la
commande avec plus ou moins
de brusquerie et verres de laits
côtoyant de moelleux *broodje* blancs
composent le décor de ce restaurant
ouvert depuis les années 1940. La
couleur, on la trouve dans les belles
tranches de rosbif ou le steak tartare
rouge rubis. Goûtez au *pekelvlees*
(viande se rapprochant du corned-
beef) ou au *halfom* (la même chose
mélangée à du foie).

🍴 WALEM *Café* €
☎ 625 35 44 ; Keizersgracht 449 ;
🕒 10h-1h ; 🚊 1/2/5 Keizersgracht

Deux terrasses, un menu qui change
régulièrement et un service fort
accueillant font la popularité de ce
café géré par l'équipe du De Jaren
(p. 47), dans le Centrum. On y sert de
nombreuses soupes et des salades
et quelques plats simples, mais on y
vient surtout pour boire un verre entre
amis et apprécier le style industriel du
bâtiment, dessiné par Gerrit Rietveld.

🍴 WOK TO WALK *Chinois* €
☎ 624 29 41 ; Leidsestraat 96 ; 🕒 9h-
tard ; 🚊 1/2/5 Prinsengracht ; ♿ Ⓥ

Il faut l'admettre : de nombreux
fast-foods amstellodamois servent
une nourriture banale, mais pas
celui-ci. Les ingrédients sont frais ;
on choisit des nouilles/du riz, de
la viande ou des légumes, et une
sauce, puis le tout est cuisiné
dans un wok. Il existe d'autres
enseignes, mais on mange si mal
dans Leidsestraat que celle-ci en
particulier mérite d'être signalée.

🍸 PRENDRE UN VERRE

🍸 BARNEY'S LOUNGE
Coffee shop

☎ 420 66 55 ; Reguliersgracht 27 ;
🕒 9h-1h ; 🚊 4 Keizersgracht

Enseigne de l'institution
d'Haarlemmerdijk (p. 73) le long
d'une paisible portion de canal.

🍸 CAFÉ AMERICAIN *Café*
☎ 556 32 32 ; Leidsekade 97 ; 🕒 7h-
22h ; 🚊 1/2/5/7/10 Leidseplein

L'intérieur Art déco, le plafond
voûté et les fenêtres à vitraux
font de ce café l'un des plus
raffinés d'Amsterdam, et méritent
largement qu'on y prenne un verre.

🍸 DE HUYSCHKAEMER *Bar*
☎ 627 05 75 ; Utrechtsestraat 137 ;
🚊 4 Prinsengracht

De tous les bars d'Utrechtsestraat,
celui-ci attire la clientèle la plus

mélangée – gay et hétéro, expatriés et autochtones, jeunes et moins jeunes. Le week-end, elle envahit même les trottoirs. La salle à l'ancienne, sur deux niveaux, arbore une déco moderne, avec d'élégantes alcôves le long des murs.

☎ DE KOFFIE SALON *Café*
☎ 330 43 14 ; Utrechtsestraat 130 ; ⏱ 7h-19h ; 🚋 4 Prinsengracht ; Ⓥ ♿

Sirotez un café dans ce bar à deux niveaux (grands canapés à l'étage) ou emportez-le (une possibilité rare à Amsterdam). Les barmans sont sympathiques, et l'on peut déguster des *stroopwafels* et autres gourmandises de chez Lanskroon (p. 50).

☎ DE SMOESHAAN *Café*
☎ 625 03 68 ; Leidsekade 90 ; ⏱ 11h-1h, dim-jeu, 11h-2h ven et sam ; 🚋 1/2/5/7/10 Leidseplein

Le café du théâtre Bellevue, où se retrouvent spectateurs et comédiens, est très animé avant et après les représentations. En journée, c'est un endroit agréable avec vue sur le Singelgracht. La nourriture de pub est très correcte – n'oubliez pas de goûter au *gehakt* (pain de viande).

☎ HEUVEL *Café brun*
☎ 622 63 54 ; Prinsengracht 568 ; 🚋 7/10 Spiegelgracht

Proche du quartier des antiquaires, ce café ancien est apprécié des habitants en raison de sa situation, à un angle de rue animé.

☎ ROKERIJ *Coffee shop*
☎ 422 66 43 ; Lange Leidsedwarsstraat 41 ; ⏱ 10h-1h lun-jeu et dim, 10h-3h ven et sam ; 🚋 1/2/5 Prinsengracht

La petite entrée sombre cache un intérieur asiatique à l'éclairage tamisé qui change de l'ambiance rasta. Une autre enseigne minuscule se trouve au n°8 d'Amstel.

☎ SCHILLER *Café*
☎ 624 98 46 ; Rembrandtplein 26 ; 🚋 4/9/14 Rembrandtplein

Avec son fabuleux intérieur Art déco, ce café est le seul qui ait un charme à l'ancienne sur Rembrandtplein. Des portraits d'acteurs et artistes de cabaret néerlandais disparus ornent les murs, et des journalistes occupent souvent les alcôves et les tabourets de bar.

☎ VIVELAVIE *Gay et lesbien*
☎ 624 01 14 ; Amstelstraat 7 ; ⏱ 15h-1h dim-jeu, 15h-3h ven et sam ; 🚋 4/9/14 Rembrandtplein

Vivelavie est le bar lesbien le plus populaire d'Amsterdam. Le personnel est sympathique, la musique excellente et la terrasse agréable. Un endroit idéal pour un dernier verre.

WEBER *Bar lounge*

☎ 627 05 74 ; Marnixstraat 397 ; 20h-3h lun-jeu, 20h-4h ven-dim ; 1/2/5/7/10 Leidseplein

Ce bar très animé, où la musique indépendante joue à plein volume, est moins snob que ne le laisse supposer sa déco ultrabranchée. Seul bémol : il est minuscule. Un problème que les propriétaires ont résolu en ouvrant à côté le Kamer 401 (n°401) et le Lux (n°403), qui est presque identique au Weber.

SORTIR

BOOM CHICAGO

Spectacle comique

☎ 423 01 01 ; www.boomchicago.nl ; Leidseplein 12 ; 10-22 € ; guichet 11h30-20h30 ; 1/2/5/7/10 Leidseplein ; ♿

Cette hilarante troupe d'improvisation anglophone ravit les foules depuis 1993. Ses membres se sont déjà produits dans le *Saturday Night Live*, *The Colbert Report* et d'autres émissions américaines. C'est un bon endroit pour prendre le pouls politique d'Amsterdam car ce sujet a la part belle.

ESCAPE *Discothèque*

☎ 622 11 11 ; www.escape.nl ; Rembrandtplein 11 ; 23h-4h jeu, 23h-5h ven et sam, 23h-4h30 dim ; 4/9/14 Rembrandtplein ; ♿

La boîte la plus grande et la plus clinquante d'Amsterdam existe depuis les années 1980 ; ses installations ont été modernisées

Pour un spectacle comique hilarant, rendez-vous au Boom Chicago

en 2007. À l'exception de la soirée gay mensuelle, l'ambiance est assez impersonnelle et la file d'attente trop longue. À recommander uniquement si un DJ réputé s'y produit.

⭐ JAZZ CAFÉ ALTO *Musique live*
☎ 626 32 49 ; Korte Leidsedwarsstraat 115 ; entrée libre ; 🕑 21h-3h dim-jeu, 21h-4h ven et sam ; 🚇 7/10 Spiegelgracht

Au cœur du quartier touristique, ce club de jazz réputé est si petit qu'on est au plus près des musiciens. Il n'y a pas de droit d'entrée et les boissons sont un peu chères, mais sans être exorbitantes.

⭐ JIMMY WOO *Discothèque*
☎ 626 31 50 ; www.jimmywoo.com ; Korte Leidsedwarsstraat 18 ; 🕑 23h-3h

DERNIÈRE MINUTE
Pas de projets pour la soirée ? Faites un saut au guichet de l'**Uitburo** (☎ 621 13 11 ; www.aub.nl ; 🕑 10h-19h30 lun-sam, 12h-19h30 dim), à l'angle du Stadsschouwburg sur Leidseplein. Des billets de spectacles comiques, de danse, de concerts, et même de discothèques sont disponibles à la vente de dernière minute moyennant une réduction substantielle. La mention "LNP" ("language no problem") signifie qu'il n'est pas nécessaire d'être néerlandophone pour profiter du spectacle.

mer, jeu et dim, 23h-4h ven et sam ; 🚇 1/2/5/7/10 Leidseplein

La déco de fumerie d'opium et la sélection très stricte à l'entrée font de ce lieu intimiste une adresse de choix pour les jeunes gens à la mode (et fortunés). Si vous êtes tenté, faites toilette, montrez patte blanche à l'entrée et tâchez de vous faire inscrire sur la liste des invités, peut-être via votre hôtel.

⭐ MELKWEG *Espace culturel*
☎ 531 81 81 ; www.melkweg.nl ; Lijnbaansgracht 234a ; 🚇 1/2/5/7/10 Leidseplein ; ♿

La "Voie lactée" – installée dans une ancienne laiterie – est sans doute la boîte-galerie-cinéma-café-salle de concerts la plus sympa d'Amsterdam. La programmation est si variée – soirée DJ, musique brésilienne live, etc. – qu'il est impossible de ne pas trouver son bonheur.

⭐ ODEON *Discothèque*
☎ 521 85 55 ; www.odeontheater.nl ; Singel 460 ; 🕑 jeu-sam ; 🚇 1/2/5 Koningsplein

Dans une étroite maison en bord de canal, l'Odeon est un lieu de fête depuis plusieurs décennies. Plus glamour depuis sa rénovation de 2005, il reste toutefois accessible. Le café et le bar à cocktails sont séparés de la boîte où l'on vient s'amuser depuis les années 1980. L'entrée dépasse rarement 15 €.

LES QUARTIERS

CEINTURE DES CANAUX SUD

Le centre culturel Melkweg (p. 93) : art et culture pour tous les goûts

⭐ PARADISO
Discothèque, musique live

☎ 626 45 21 ; www.paradiso.nl ;
Weteringschans 6-8 ; ⊗ ven-dim
23h30-4h ; 🚊 7/10 Spiegelgracht ; ♿

Ancienne église, voici la meilleure salle de concerts d'Amsterdam qui attire de grands noms malgré sa taille restreinte. Quand les groupes ont terminé, elle se transforme en discothèque sans prétention, où l'on danse sur des rythmes variés (DJ finlandais passant du jazz, new wave afro de New York et tech-hop de Detroit). Droit d'entrée variable (de gratuit à 25 €).

⭐ STADSSCHOUWBURG
Salle de concerts, théâtre

☎ 624 23 11 ; www.ssba.nl,
en néerlandais ; Leidseplein 26 ;

billets 12-80 € ; ⊗ guichet 10h-18h ;
🚊 1/2/5/7/10 Leidseplein ; ♿

Ce bel édifice baroque accueille de grandes productions en tournée, des spectacles de danse et les représentations du Toneelgroep Amsterdam.

⭐ STUDIO 80
Discothèque

☎ 521 83 33 ; www.studio-80.nl ;
Rembrandtplein 17 ;
🚊 4/9/14 Rembrandtplein

Cet établissement polyvalent consacré à la musique (électro) est à la fois un studio, une station de radio et une discothèque. Il s'y déroule plusieurs fêtes chaque semaine, la M.U.L.T.I.S.E.X.I. étant la plus populaire. Entrée bon marché et clientèle jeune.

⭐ SUGAR FACTORY
Musique live, discothèque

☎ 626 50 06 ; www.sugarfactory.nl ;
Lijnbaansgracht 238 ; 🕙 18h30-1h lun-
jeu, 18h30-2h ven et sam, 19h-1h dim ;
🚊 1/2/5/7/10 Leidseplein

Rythmes des Balkans, groupes de
soul…, la Sugar Factory propose
toutes sortes de concerts, dans une
ambiance très accueillante. Ni trop
petit ni trop grand, l'endroit compte
un lounge pour fumeurs à l'étage.
Consultez le site Internet pour voir
si votre "prénom" figure sur la liste
des invités du mois (car l'entrée est
gratuite pour ceux-ci !).

VONDELPARK ET VIEUX SUD

Les Amstellodamois ont financé la création de Vondelpark dans les années 1860 en réclamant plus de terrain que nécessaire pour revendre ensuite le surplus à des promoteurs immobiliers, à la condition qu'ils n'y construisent ni usines ni logements ouvriers. Ainsi naquit l'Oud Zuid (Vieux Sud), l'un des quartiers les plus plaisants et les plus cossus d'Amsterdam. Flâner sans but le long des belles demeures érigées en bordure du parc, à l'ombre des arbres, est particulièrement agréable, et plus on va vers le sud, plus les maisons sont imposantes.

Juste à côté s'étend le quartier des musées, dont le plus ancien, le Rijksmuseum (p. 98). Édifice massif de 1885 de style Renaissance hollandaise, il est l'œuvre de P.J.H. Cuypers, qui a également dessiné Centraal Station. À l'époque de sa construction et de celle du Concertgebouw (1888) voisin, il y avait entre les deux des terres cultivées. Cette vaste étendue verdoyante, aujourd'hui appelée Museumplein, voit affluer touristes et habitants, notamment en hiver, lorsqu'on y installe une patinoire. On y trouve un café du côté nord (petit tour aux toilettes impérial impératif !), une patinoire et le fameux slogan "I amsterdam" en lettres géantes.

VONDELPARK ET VIEUX SUD

◉ VOIR

◉ RIJKSMUSEUM

☎ 674 70 00 ; www.rijksmuseum.nl ;
Jan Luijkenstraat 1 ; adulte/moins
de 18 ans 10 €/gratuit ;
🕘 9h-18h sam-jeu, 9h-20h30 ven ;
🚋 2/5 Hobbemastraat ; ♿

Le musée phare de la ville attirant
un monde fou, on a intérêt à acheter
son billet sur Internet pour éviter
la file d'attente. Découvrir ses
principales œuvres prend environ
2 heures. Jetez aussi un coup d'œil
aux jardins (gratuits), ponctués
de sculptures et d'ornements
architecturaux.

◉ STEDELIJK MUSEUM

www.stedelijk.nl ; Paulus Potterstraat 13 ;
🚋 2/3/5/12 Van Baerlestraat

La grande collection d'art
contemporain d'Amsterdam est
fermée jusqu'au début de 2010
pour rénovation. Il est question d'y
ajouter une entrée que les habitants
ont déjà surnommée "la Baignoire".

◉ MUSÉE VAN GOGH

☎ 570 52 00 ; www.vangoghmuseum.
nl ; Paulus Potterstraat 7 ; adulte/moins
de 12 ans/13-17 ans 12/gratuit/2,50 €,
audioguide 4 € ; 🕘 10h-18h sam-jeu,
10h-22h ven ; 🚋 2/3/5/12 Van
Baerlestraat ; ♿

Le musée Van Gogh vu de l'extérieur

FRIDAY NIGHT SKATE

Ce rendez-vous hebdomadaire (www.fridaynightskate.com) est idéal pour découvrir la ville et faire de nouvelles rencontres : des centaines d'adeptes du roller (voire des milliers en haute saison) se rassemblent à 20h près du Filmmuseum à Vondelpark pour s'élancer à 20h30. L'itinéraire varie chaque semaine, mais fait en général 15 km ou 20 km – mieux vaut être un skateur expérimenté. La randonnée étant annulée quand les rues sont mouillées, elle n'a donc lieu que deux fois par mois en moyenne. Vous pourrez louer des rollers chez **De Vondeltuin** (☎ 062 756 55 76 ; www.vondeltuin.nl, en néerlandais ; Vondelpark 7 ; location 1/2/3 heures adulte 5/7,50/10 € ; mars-oct), à l'extrémité sud du parc.

Les célèbres tournesols attirent une foule de visiteurs, mais, comme dans les autres grands musées, on peut acheter ses billets en ligne pour ne pas faire la queue. Il vaut peut-être encore mieux le visiter un vendredi soir car il accueille des concerts et l'ambiance y est alors festive. En attendant la réouverture du Stedelijk Museum (p. 98), l'aile arrière proposera quelques expos temporaires issues des collections de ce dernier.

◉ VONDELPARK
Stadhouderskade ; 🕙 **24h/24 ;**
🚊 **2/5 Hobbemastraat**
Rien de plus facile que de profiter de Vondelpark : il suffit de trouver son petit coin d'herbe. Mais pour avoir une chaise, rendez-vous chez **Vertigo** (☎ 612 30 21), le café du Filmmuseum (p. 103), proche de l'entrée principale du parc. On y sert une nourriture roborative (goûtez à l'*uitsmijter Vertigo,* sandwich aux œufs et aux champignons) et de la bière. Au

centre du parc, le café **'t Blauwe Theehuis** (☎ 662 02 54 ; 🕙 9h-22h) se trouve dans un édifice ressemblant à une soucoupe volante. Les gens s'installent généralement sur la terrasse (700 places !). Les parents iront avec leurs enfants à l'**Het Groot Melkhuis** (☎ 612 96 74 ; 🕙 10h-crépuscule ; 🚻), café en self-service attenant à une immense aire de jeux. Enfin, le théâtre en plein air **Openluchttheater** (☎ 428 33 60 ; www.openluchttheater.nl) programme l'été des pièces, des concerts de jazz, des spectacles pour enfants, etc. (entrée libre).

🛍 SHOPPING
◉ & KLEVERING
Articles pour la maison
☎ **670 36 23 ; Jacob Obrechtstraat 19a ;**
🚊 **2 Jacob Obrechtstraat**
Cette boutique d'articles pour la table et la maison vend des objets originaux et très colorés. Une bonne adresse pour dénicher des spécimens du design néerlandais sans trop se ruiner.

🖼 COSTER DIAMONDS *Bijoux*
☎ 305 55 55 ; Paulus Potterstraat 2-6 ;
🕑 9h-17h ; 🚋 2/5 Hobbemastraat
Fondée en 1840, cette maison
est célèbre pour avoir taillé le
Koh-I-Noor (diamant persan) en
1852. C'est l'une des plus anciennes
tailleries d'Amsterdam et, bien sûr,
un établissement très fiable.

🖼 FRED DE LA BRETONIÈRE
Chaussures
☎ 470 93 20 ; Van Baerlestraat 34 ;
🕑 13h-18h lun, 10h-18h mar, mer et
ven, 10h-21h jeu, 10h-17h sam, 12h-17h
dim ; 🚋 2/3/5/12 Van Baerlestraat
Enseigne de la marque néerlandaise
(p. 45).

🖼 MARLIES DEKKERS *Mode*
☎ 471 41 46 ; Cornelis Schuytstraat 13 ;
🕑 lun-sam ; 🚋 2 Cornelis Schuytstraat
Lustres et feu de cheminée,
bonbons à picorer… Voilà un cadre
parfait pour l'élégante lingerie de
la créatrice néerlandaise Marlies
Dekkers, dont la "robe fesses nues"
est exposée dans un musée de la
mode à Rotterdam.

🖼 OILILY *Mode, enfants*
☎ 672 33 61 ; Pieter Cornelisz
Hooftstraat 131-133 ; 🚋 2/3/5/12 Van
Baerlestraat
Mamans et enfants se fournissent
dans cette chaîne haut de
gamme en vêtements aux motifs
psychédéliques, au risque peut-être

pour les premières de ressembler un
peu trop à leurs filles…

🖼 PAUW *Mode*
☎ 662 62 53 ; Van Baerlestraat 72 ;
🚋 2/3/5/12 Van Baerlestraat
Pauw signifie "paon" ; toutefois les
vêtements de cette élégante petite
enseigne néerlandaise sont très
sobres (taffetas aux riches nuances,
manteaux de style "cavalier" et
chemisiers bien coupés). On trouve
une boutique pour hommes au
n°90, et une autre boutique pour
femmes au n°66.

🖼 PIED À TERRE *Livres*
☎ 627 44 55 ; Overtoom 135-137 ;
🕑 lun-sam ; 🚋 1 1e Constantijn
Huygensstraat
Ses galeries et sa fenêtre à tabatière
font ressembler cette librairie de
voyage à un cabinet Renaissance.
On y trouve des livres sur la
randonnée (à pied ou à vélo), des
cartes topographiques et des guides
de voyage, dont plusieurs sont en
anglais.

🍴 SE RESTAURER
DE BAKKERSWINKEL
Café, boulangerie   €
☎ 662 35 94 ; Roelof Hartstraat 68 ;
🕑 7h-16h mar-sam, 10h-16h dim ;
🚋 3/5/12/24 Roelof Hartplein ; Ⓥ 🚼
Enseigne de la boulangerie de
Warmoesstraat (p. 47).

🍴 DE PEPER *Végétalien* €
☎ 412 29 54 ; www.depeper.org ; Overtoom 301 ; 🕑 18h-20h30 mar, ven et dim ; 🚊 1 Jan Pieter Heijestraat

L'accueillant restaurant du squat OT301 (p. 103) sert des repas végétaliens bio bon marché. Une bonne adresse pour faire des rencontres. Réservation impérative à faire le jour même.

🍴 LA FALOTE *Néerlandais* €
☎ 622 54 54 ; Roelof Hartstraat 26 ; 🕑 dîner lun-sam ; 🚊 3/5/12/24 Roelof Hartplein ; ♿ 🚻

Ce restaurant concocte une cuisine familiale typiquement *Echt Nederlands*, comme le foie de veau ou les boulettes de viande aux endives. La formule du jour coûtant moins de 10 €, c'est une véritable affaire dans ce quartier cossu. Le propriétaire sort parfois son accordéon.

🍴 LOETJE *Néerlandais* €€
☎ 662 81 73 ; Johannes Vermeerstraat 52 ; 🕑 déj lun-ven, dîner lun-sam ; 🚊 16/24 Ruysdaelstraat ; 🚻

Bien qu'un petit menu soit écrit à la craie sur une ardoise, tout le monde semble commander des steaks épais, servis à point avec une délicieuse sauce brune. Pourtant très sollicité par la clientèle – nombreuse –, le personnel reste extrêmement avenant.

🍴 OVERTOOM GROENTE EN FRUIT *Turc* €
☎ 683 98 88 ; Overtoom 129 ; 🕑 9h-18h ; 🚊 1 1e Constantijn Huygensstraat

Cette épicerie turque offre un bon choix de salades et d'en-cas, parfaits pour pique-niquer dans le parc.

🍴 PALOMA BLANCA *Marocain* €€
☎ 612 64 85 ; Jan Pieter Heijestraat 145 ; 🕑 dîner mar-dim ; 🚊 1 Jan Pieter Heijestraat ; Ⓥ 🚻

Malgré un nom espagnol, les lanternes, les couverts et les tables à plateau de mosaïque viennent tout droit de Marrakech. Commencez par un brick (au thon) ou du poulpe farci et continuez par un délicieux couscous. On ne sert pas d'alcool.

🍸 PRENDRE UN VERRE

🍸 DE KOFFIE SALON *Café*
☎ 612 40 79 ; 1e Constantijn Huygensstraat 82 ; 🕑 7h-19h ; 🚊 3/12 Overtoom ; Ⓥ 🚻

Enseigne de l'excellent "salon à café" d'Utrechtsestraat (p. 91).

🍸 HOLLANDSCHE MANEGE *Café*
☎ 618 09 42 ; Vondelstraat 140 ; 🕑 14h-23h lun-jeu, 9h-23h mer, 9h-18h sam, 9h-17h dim ; 🚊 1 1e Constantijn Huygensstraat ; 🚻

L'élégant café de cette école d'équitation, datant de 1882, est l'un des joyaux de la ville. Il donne sur le manège, faiblement éclairé, qui fleure bon le foin et les chevaux. Pour venir, entrez dans la longue arcade de Vondelstraat, tournez à gauche et grimpez l'escalier.

▼ WELLING *Café brun*
☎ 662 01 55 ; **Jan Willem Brouwersstraat 32 ;** ◷ **16h-1h lun-ven, 15h-1h sam et dim ;**
🚇 **3/5/12/16/24 Museumplein**
Derrière le Concertgebouw, ce bar évoque plutôt une bibliothèque, dans laquelle on aurait le droit de boire de la bière et de discuter tout haut. Parmi les habitués, des artistes et intellectuels renommés et… un chat adorable.

▼ WILDSCHUT *Café*
☎ 676 82 20 ; **Roelof Hartplein 1 ;**
🚇 **3/5/12/24 Roelof Hartplein ;** ♿
Par beau temps, installez-vous sur la terrasse avec vue sur les bâtiments de l'école d'Amsterdam (voir l'encadré p. 106) et si le ciel est au gris, réfugiez-vous dans le superbe intérieur Art déco. Sachez que le jus d'orange n'est pas nécessairement pressé de frais.

★ SORTIR
★ CONCERTGEBOUW
Salle de concerts
☎ 573 05 11, 671 83 45 ;
www.concertgebouw.nl ;
Concertgebouwplein 2-6 ;
◷ **guichet 10h-20h15 ;**
🚇 **3/5/12/16/24 Museumplein ;** ♿
Bernard Haitink, célèbre chef d'orchestre du Royal Concertgebouw Orchestra, a fait remarquer un jour que cette salle de concerts mondialement connue (construite en 1888 avec une acoustique proche de la perfection) était le meilleur instrument qui soit. Outre les représentations en soirée, de petits concerts gratuits ont lieu le mercredi à 12h30 de septembre à fin juin. Les 27 ans et moins peuvent faire la queue pour des billets à 7,50 €, 45 min avant chaque concert.

Moment de détente à Vondelpark

⭐ **FILMMUSEUM** *Cinéma*
☎ **589 14 00 ; www.filmmuseum.nl ;
Vondelpark 3 ; entrée 7,80/5 € ;
🚊 1 1e Constantijn Huygensstraat**
Fort de plus de 40 000 films,
le musée en projette de toutes
sortes, du cinéma muet au cinéma
d'auteur iranien contemporain,
dans son pavillon de Vondelpark
ou en plein air sur la terrasse
pendant la belle saison. À la fin de
2010, le Filmmuseum s'installera
dans un bâtiment flambant neuf
d'Amsterdam-Noord – consultez le
site Internet pour plus de détails.

⭐ **OT301** *Espace culturel*
**www.squat.net/overtoom301 ;
Overtoom 301 ; 🚊 1 Jan Pieter Heijestraat**
Ce squat établi de longue date
dans l'ancienne Netherlands Film
Academy accueille des groupes et
DJ très différents, souvent assez
étonnants et avant-gardistes.
Projection de films (parfois un peu
abscons) le mardi.

DE PIJP

Avec ses ruelles étroites peuplées d'une foule bigarrée où se mêlent toutes les classes sociales et tous les pays, De Pijp est souvent surnommé le "Quartier latin d'Amsterdam". Au XIXe siècle, il fut le théâtre d'une première tentative de développement urbain anarchique, mais aussi de la dernière, au vu du résultat catastrophique : certains de ses blocs d'habitation, de mauvaise qualité, s'effondrèrent en pleine construction. Ces logements bon marché avaient abrité dès le début artistes et intellectuels, et, dans les années 1960 et 1970, le gouvernement les rénova pour y loger des immigrants venus du Maroc, de Turquie, du Surinam et des Antilles néerlandaises.

Depuis les années 1990, le quartier séduit particulièrement les jeunes couples, ainsi qu'une importante population gay. Ses nombreux cafés, restaurants et bars dégagent une atmosphère bohème (même lorsqu'ils s'adressent à l'évidence aux nouveaux habitants plus fortunés). C'est aussi le cas du luxuriant Sarphatipark, qui tient son nom de Samuel Sarphati, philanthrope du XIXe siècle qui se battit sans relâche pour améliorer la salubrité et les conditions de logement du quartier. Sans doute serait-il ravi de voir ce qu'il est devenu…

DE PIJP

Map labels

Voir carte Oosterpark et alentours (p. 114-115)

OOSTERPARKBUURT

Onze Lieve Vrouwe Gasthuis

Wibautstraat

Prof Tulppl

Amstel

Amsteldijk

Rijnstraat

Van Woustraat

Hemonystr

Sint Willibrordusstr

Pieter Lewijk Takstraat

DE PIP

Tolstraat

Lutmastr

IJselstr

Oosteinde

Frederikaplein

Voir carte ceinture des canaux sud (p. 82-83)

Stadhouderskade

Den Texstr

Nicolaas Witsenkade

Weteringschans

Lijnbaansgracht

Dikke Simonsstr

Weteringcircuit

Sarphatipark

1e Jacob van Campenstr

Quellijnstr

Gerard Doustr

Albert Cuypstr

1e van der Helststr

Van Ostadestr

Van der Rustenburgerstr

Karel du Jardstr

Helmplein

2e Jan Steenstr

2e Jan van der Heijdenstr

2e Van der Helstr

Te Sweelinckstr

Te Jan van der Heijdenstr

Frans Halsstr

Daniel Stalpertstr

Ceintuurbaan

Ferdinand Bolstraat

Cornelis Troststraat

Churchilllaan

Ruysdaelkade

Boerenwetering

Voir carte Vondelpark et Vieux Sud (p. 97)

OUD ZUID

Museumplein

Johannes Vermeerstr

Frans van Mierisstr

Ruysdaelstr

Cornelis Anthoniszstr

Balthasar Floriszstr

Roelof Hartstr

Gerard Terborgstr

Reijnier Vinkeleskade

Harmoniehof

Stadhouderskade

Hobbemakade

Stadionweg

0 200 m

◉ VOIR

◉ DE DAGERAAD

Lutmastraat ; 🚋 12/25 Cornelis Troostplein ; ♿

Voici l'un des plus beaux blocs d'habitation créés par l'école d'Amsterdam si l'on excepte Het Schip (p. 78). "L'Aube", avec sa grandiose structure centrale (un escalier incurvé dans PL Takstraat) plaira notamment aux amateurs d'architecture.

◉ HEINEKEN EXPERIENCE

☎ 523 94 36 ; www. heinekenexperience.com ; Stadhouderskade 78 ; entrée 15 € ; 🚋 16/24 Stadhouderskade ; ♿

Après avoir subi une cure de rajeunissement, la brasserie/musée a rouvert ses portes début novembre 2008. Au programme : visite interactive et possibilité de créer et de personnaliser votre propre bouteille de Heineken.

▢ SHOPPING

▢ ALBERT CUYPMARKT

Mode, alimentation

Albert Cuypstraat entre Van Woustraat et Ferdinand Bolstraat ; 🕐 10h-17h lun-sam ; 🚋 16/24 Albert Cuypstraat

En flânant sur ce marché, ne manquez pas de repérer les boutiques derrière les étals. On y trouve de beaux tissus, des vêtements, et des échoppes comme De Peperbol, au n°150, qui vend des épices, des gadgets pour la cuisine, des huiles essentielles, des bonbons néerlandais et de la *zoethout* (bâtons de réglisse). Volksrijwielhandel Tornado, au n°214, propose des accessoires pour vélo. Pour des détails sur le marché, voir p. 19.

▢ APPEL 67 *Mode*

☎ 676 14 54 ; 2e Jacob van Campen-straat 1 ; 🕐 11h-19h lun-ven, 10h-18h sam ; 🚋 16/24 Stadhouderskade

---

L'ÉCOLE D'AMSTERDAM

À ses débuts (Première Guerre mondiale), l'école d'Amsterdam était à la fois un mouvement politique et esthétique. Les architectes, tels Pieter Kramer et Michel De Klerk, souhaitaient réagir au style élitiste d'édifices néo-Renaissance comme Centraal Station, mais aussi aux conditions de logement déplorables des plus pauvres. Leurs fabuleux logements sociaux, financés par des fonds publics, arborent la forme de coquillages, de vagues et autres éléments naturels. Obsédés par le souci du détail, ces architectes ont dessiné jusqu'au numéro des maisons. Certains éléments trahissent leur volonté de tout contrôler – les fenêtres haut placées dans le mur étaient censées empêcher les résidents de se pencher pour échanger des ragots entre voisins – mais dans l'ensemble, ces bâtiments ont représenté une amélioration considérable. Flânez dans De Dageraad (ci-dessus), puis visitez le musée d'Het Schip (p. 78).

Yalçın Cihangir et Dave Deutsch

Propriétaires de De Fietsfabriek (p. 108), dont le "vélo-cargo" est une icône du design néerlandais

Notre objectif Notre *bakfiets* (vélo-cargo ou véloporteur) est comme une petite voiture pour transporter les enfants et les courses. Nous souhaitons créer la Ferrari des vélos. **Customisation** Les gens nous disent que nous changeons le paysage urbain grâce à nos options *freak me fiets* (customisation). Quel compliment ! En plus, apposer son nom ou sa devise sur un vélo décourage le vol. **Excursion en deux-roues** Beaucoup de gens connaissent mal les petits villages du Noord (p. 144). Allez-y le dimanche, et passez d'une terrasse de café à l'autre à vélo. **Pas besoin de vélo pour…** Flânez le long des canaux tôt le matin (4h ou 5h) et tard le soir. **Souvenir d'Amsterdam** Nous espérons que les touristes rentreront chez eux en connaissant mieux le vélo. Avec les problèmes d'environnement et d'obésité du monde moderne, le vélo, c'est l'avenir !

Cette boutique vend des marques scandinaves (jeans Cheap Monday, robes en laine Mads Nørgaard et nombre d'autres articles) pour hommes et femmes.

📷 DE EMAILLEKEIZER
Articles pour la maison
☎ 664 18 47 ; 1e Sweelinckstraat 15 ; 🕐 lun-sam ; 🚊 4/25 Stadhouderskade

Cette boutique spécialisée dans les émaux propose un choix de numéros de maisons traditionnels, de plaques publicitaires, de boîtes à café ainsi que des assiettes et théières en métal de Pologne, du Ghana et d'ailleurs, et même des perles africaines et des albums de Fela Kuti.

📷 DE FIETSFABRIEK *Vélos*
☎ 672 18 34 ; 1e Jacob van Campenstraat 12 ; 🕐 mar-dim ; 🚊 16/24 Stadhouderskade

Le "véloporteur" (p. 107), création emblématique de De Fietsfabriek, est l'équivalent amstellodamois de la poussette double. La boutique vend d'autres modèles tout aussi ingénieux et de superbes accessoires. Faire customiser son vélo (à son nom, choix de la couleur, etc.) prend 4 semaines (c'est fait dans l'usine de la marque en Turquie). L'un des propriétaires exprime aussi sa créativité dans une ligne de *streetwear*, en vente chez YC Clothing, au n°27 de la même rue.

Petits prix et belles affaires à l'Albert Cuypmarkt (p. 106), marché d'alimentation et de vêtements

🍴 SE RESTAURER

🍴 BAZAR *Turc* €

☎ 675 05 44 ; Albert Cuypstraat 182 ; ⏰ 11h-1h lun-jeu, 11h-2h ven, 9h-2h sam, 9h-minuit dim ; 🚋 16/24 Albert Cuypstraat ; Ⓥ ♿

Un petit critique de 4 ans a surnommé ce café moyen-oriental "le plus beau restaurant du monde". De fait, l'endroit est spacieux, le personnel affable, et les parents apprécieront la variété de la carte. Mention spéciale pour le petit déjeuner de style turc (8 €). Un bel ange doré coiffe l'édifice.

🍴 BURGERMEESTER

International €

☎ 670 93 39 ; Albert Cuypstraat 48 ; ⏰ 12h-23h ; 🚋 16/24 Albert Cuypstraat ; Ⓥ ♿

Cet élégant petit bistrot se veut le *burgemeester* (bourgmestre) de la viande. Pari réussi. On n'y sert que du bœuf bio (ou de l'agneau, des falafels et du poisson) accompagnés de légumes épicés, de fèves germées, de mayonnaise au piri-piri, etc., mais curieusement, pas de frites.

🍴 DE TAART VAN M'N TANTE

Pâtisserie €

☎ 776 46 00 ; Ferdinand Bolstraat 10 ; ⏰ 10h-18h ; 🚋 16/24 Stadhouderskade ; ♿ Ⓥ ♿

Cette pâtisserie rose bonbon (!) décorée sur le thème de Barbie fait

le bonheur des enfants, mais lorsque les adultes découvrent ses fameux gâteaux (dont des gâteaux de mariage), ils n'ont plus qu'une idée fixe : revenir !

🍴 DE WAAGHALS

Végétarien €€

☎ 679 96 09 ; Frans Halsstraat 29 ; ⏰ 17h-21h30 mar-dim ; 🚋 16/24 Stadhouderskade ; Ⓥ

Avec ses murs blancs, le "Casse-cou" est assez stylé pour que même les non-végétariens se laissent tenter. Le menu met chaque mois un pays à l'honneur, ainsi que des spécialités comme la délicieuse daube d'aubergines aux champignons.

🍴 DE WITTE UYL

International €€

☎ 670 04 58 ; Frans Halsstraat 26 ; ⏰ 18h-1h mar-sam ; 🚋 16/24 Stadhouderskade ; Ⓥ

Cette adresse de quartier très prisée est souvent bondée et pour cause : on y sert de la viande bio, les végétariens ne sont pas oubliés, et on peut goûter à une bonne sélection de vins au verre. Saveurs japonaises et italiennes à l'honneur.

🍴 GAZIANTEP/HARISON'S

Turc €

☎ 618 22 55 ; Van Woustraat 32 ; ⏰ 8h-17h ; 🚋 4/25 Stadhouderskade ; Ⓥ ♿

Bien que s'annonçant bosniaque, cette boulangerie propose des spécialités turques : excellente *lahmacun* (la "pizza turque"), biscuits, tourtes savoureuses et énormes miches de pain, à déguster avec de l'*ayran* (yaourt à boire salé).

🍴 IJSCUYPJE *Glaces* €

1e van der Helststraat 27 ; 🕙 11h-23h lun-sam, 13h-23h dim ; 🚋 16/24 Albert Cuypstraat ; ♿ Ⓥ 🚻

Délicieux parfums framboise ou chocolat pour cet excellent stand de glaces à côté de l'Albert Cuypmarkt.

🍴 KISMET *Turc* €

☎ 671 47 68 ; **Albert Cuypstraat 64 ; 🕙 10h-22h ; 🚋 16/24 Albert Cuypstraat ; Ⓥ 🚻**

On achète surtout des plats à emporter mais il y a tout de même quelques tables dans le fond. Bonnes spécialités turques à base d'ingrédients frais, comme l'aubergine farcie, l'agneau rôti et diverses salades.

🍴 LE HOLLANDAIS
Français €€€

☎ 679 12 48 ; **Amsteldijk 41 ; 🕙 18h30-22h30 lun-sam ; 🚋 3 Amsteldijk**

Ambiance feutrée pour ce restaurant sur deux niveaux qui ne paie pas de mine mais dont le chef talentueux a une passion pour la cuisine du terroir française. La saucisse est fabriquée sur place et l'on peut même savourer du boudin et des abats.

🍴 MAOZ
Végétarien €

☎ 664 80 64 ; **Ferdinand Bolstraat 67 ; 11h-1h ; 🚋 16/24 Albert Cuypstraat ; ♿ Ⓥ 🚻**

Branche de l'enseigne spécialisée dans les falafels (p. 88) ; on en trouve une autre au 1e Van der Helststraat 43.

🍴 OP DE TUIN
Méditerranéen €€

☎ 675 26 20 ; **Karel du Jardinstraat 47 ; 🕙 16h-22h30 ; 🚋 3/25 2e Van der Helststraat ; Ⓥ 🚻**

Restaurant de quartier sans chichis où vous pourrez grignoter des antipasti (laissez le chef décider de l'assortiment de classiques méditerranéens) ou des plats de pâtes. La plupart des clients sont du quartier.

🍴 RUNNEBOOM
Boulangerie €

☎ 673 59 41 ; **1e Van der Helststraat 49 ; 🕙 7h-17h lun, mer et ven, 7h-16h mar, jeu et sam 🚋 16/24 Albert Cuypstraat ; ♿ Ⓥ 🚻**

Les sympathiques marionnettes Bert et Ernie de l'émission pour enfants *Sesame Street* figurent sur l'enseigne de cette boulangerie qui vend, entre autres délices, un succulent "Runnie" (brioche aux raisins garnie de crème et de sucre à la cannelle).

TJING TJING
Sud-africain   €€

☎ 676 09 23 ; Cornelis Trooststraat 56-58 : ⏰ 14h-tard ; 🚊 12/25 Cornelis Troostplein ; ♿

Ici, on mange de l'autruche, du springbok et du *kudu* (antilope), mais la mention spéciale revient au *bobotie* sud-africain (hachis Parmentier originaire du quartier malais du Cap). *Braai* (barbecue) à volonté les dimanches d'été.

🍸 PRENDRE UN VERRE

🍸 GOLLEM
Bar à bières

☎ 676 71 17 ; Daniel Stalpertstraat 74 ; 🚊 16/24 Albert Cuypstraat

Antenne plus spacieuse de l'enseigne belge du Centrum (p. 54).

🍸 GREENHOUSE
Coffee shop

☎ 673 74 30 ; Tolstraat 91 ; ⏰ 9h-1h dim-jeu, 9h-2h ven et sam ; 🚊 4 Lutmastraat

Décoré de mosaïques, cet établissement d'un quartier peu fréquenté est spacieux et attire surtout une clientèle d'habitués. Il faut être "membre" pour y entrer (ceci pour barrer la route aux fêtards surexcités), mais on laisse généralement entrer les touristes. Les hommes doivent avoir au moins 25 ans.

🍸 KINGFISHER
Bar

☎ 671 23 95 ; Ferdinand Bolstraat 24 ; ⏰ 11h-1h lun-jeu, 11h-3h ven et sam ; 🚊 16/24 Stadhouderskade

Son ambiance décontractée et chaleureuse assure la popularité du Kingfisher. Sa clientèle très "couleur locale" et son emplacement, dans l'une des principales artères du Pijp, en font un endroit idéal pour se plonger dans une atmosphère typique et observer les gens alentour.

🍸 PILSVOGEL
Café brun

☎ 664 64 83 ; Gerard Douplein 14 ; ⏰ 10h-1h ; 🚊 16/24 Albert Cuypstraat

Clientèle jeune, petites assiettes et formules du jour mais,… on est ici dans le coin le plus ravissant et le plus animé du Pijp. Parfait pour prendre le pouls du quartier.

⭐ SORTIR

⭐ DE BADCUYP
Espace culturel

☎ 675 96 69 ; www.badcuyp.nl ; 1e Sweelinckstraat 10; 🚊 4/25 Stadhouderskade ; ♿

Espace très agréable à côté de l'Albert Cuypmarkt, reflétant l'ambiance multiculturelle du quartier : soirées danse africaine, soirées salsa et artistes venus des quatre coins du monde.

OOSTERPARK ET ALENTOURS

Le très réputé Tropenmuseum (p. 113), qui présente une collection d'objets du monde entier, est l'accès tout indiqué pour entamer la découverte du quartier tranquille d'Oosterpark, l'un des plus cosmopolites d'Amsterdam. Contrairement à De Pijp (p. 104), Oosterpark ne s'est guère embourgeoisé et n'est pas (encore) dans le collimateur des branchés, ce qui fait tout son intérêt.

En quittant le musée vers l'est par Eerste van Swindenstraat, on rejoint le marché de Dapperstraat (p. 113) puis Javastraat, où poissonneries anciennes et bars d'ouvriers côtoient épiceries marocaines, indiennes et turques ; on y voit parfois des gens "promener" leurs oiseaux (en cage), une coutume du Surinam. La partie sud de Javastraat est considérée comme une "cité de paraboles" : ces immeubles jalonnés d'antennes satellites sont devenus, depuis les vives polémiques de 2002 sur l'immigration, le symbole de ce que nombre de Néerlandais jugent être des étrangers "non assimilés".

Après un savoureux déjeuner à prix modique, on se détend dans le parc qui donne son nom au quartier, Oosterpark, sorte de jardin à l'anglaise datant des années 1880.

OOSTERPARK ET ALENTOURS

Voir carte p. 114-115

VOIR
OOSTERPARK

's-Gravesandestraat ; aube-crépuscule ; **3/7 Beukenweg**
Oosterpark, créé en 1891 pour le plaisir des négociants en diamants ayant fait fortune grâce aux mines sud-africaines, conserve un charme élégant plein de coins et de recoins. On prêtera attention à deux monuments sur le flanc sud, l'un commémorant l'abolition de l'esclavage aux Pays-Bas en 1819, l'autre, *De Schreeuw* (Le Cri), en l'honneur de la liberté d'expression et plus précisément du réalisateur Theo Van Gogh, assassiné dans le coin sud-est du parc en 2004 (p. 167). Il lui est aussi rendu hommage avec le Spreeksteen, un "coin de l'orateur" ouvert à tous depuis 2005 dans la partie est du parc ; les prises de parole prévues (presque toujours en néerlandais) ont lieu le dimanche à 13h00

TROPENMUSEUM

☎ 568 82 15 ; www.tropenmuseum.nl ; Linnaeusstraat 2 ; adulte/moins de 6 ans/6-17 ans/senior ou étudiant 7,50 €/gratuit/4 €/6 € ; 10h-17h ; 9/10/14 Alexanderplein ;
On pourrait passer la journée dans ce fascinant musée d'anthropologie à regarder des clips de Bollywood, admirer une reconstitution de souk ou écouter les tubes du juke-box

mexicain. Créé pour accueillir les butins coloniaux, ce "musée des Tropiques" met à l'honneur les anciennes colonies néerlandaises, avec notamment de superbes bijoux indonésiens et de gigantesques canoës de guerre polynésiens. Son café sert des plats du monde entier, mais les restaurants du quartier ont l'avantage de l'authenticité.

SHOPPING
DAPPERMARKT *Marché*

Dapperstraat entre Mauritskade et Wijttenbachstraat ; 9h-17h lun-sam ; **3/7 Dapperstraat**
À l'image de la diversité culturelle d'Oost, le Dappermarkt est un régal, mélange rafraîchissant et chaleureux de gens, de nourriture et de bricoles en tout genre. Quoique sacré meilleur marché de rue des Pays-Bas en 2008, il ne semble guère différent de l'Albert Cuypmarkt (p. 106). Pour vraiment apprécier l'endroit, laissez de côté les achats et contentez-vous de flâner en observant le spectacle.

SE RESTAURER
ELKAAR *Français*   €€€

☎ 330 75 59 ; Alexanderplein 6 , midi dim-ven, soir tlj ; 9/10/14 Alexanderplein
Dans un coin tranquille au bord d'un canal, ce petit restaurant raffiné fait des merveilles avec ses fruits de mer et sa généreuse truffe râpée. Le midi,

LES QUARTIERS

OOSTERPARK ET ALENTOURS

A
Wertheimpark
Hortusplantsoen
Plantage Parklaan
Nieuwe Keizersgracht
Nieuwe Keizersgr
Nieuwe Kerkstr
Nieuwe Prinsengracht
Nieuwe Prinsengr
Korte Lepelstr
Nieuwe Achtergracht
Korte Amstelstr
Valckenierstr
Voormalige
Stadstimmertuin
Weteringschans
6, 7, 10
Huddestr
Mauritskade
Weesperzijde
Amstel
Amsteldijk

B
Plantage Middenlaan
Plantage Kerklaan
Plantage Muidergr
Plantage Muidergracht
Plantage Westermanlaan
Nieuwe Achtergr
Universiteit
van
Amsterdam
Kriterion
Weesperstr
Weesperplein
Spinozastr
Spinozahof
Sajetplein
M Zeldenruststr
Rhijnspoorplein
Ruyschstraat
Wibautstraat
Wibautstraat
11

C
Planétarium
Artis
Bibliothèque
Artis
9 14
Plantage
Lepellaan
Plantage
Badlaan
Zoo Artis
Aquarium
Artis
Alexanderplein
4
Voir carte
Nieuwmarkt
et Plantage
(p. 122-123)
13
'sGravesandestr
Oosterpark
1
Monument
de l'esclavage
Onze Lieve
Vrouwe
Gasthuis
3, 7, 37
2e Oosterparkstraat
3e Oosterparkstraat
OOSTERPARKBUURT

D
Entrepotdok
Musée
zoologique
Artis
Sarphatistr
10
14
OOS
De Schreeuw
(monument à
Theo Van Gogh)
1e Osterparkstr
Nobelweg

1
2
3
4
5

10
8
3
10

Voir carte
Pijp (p. 105)

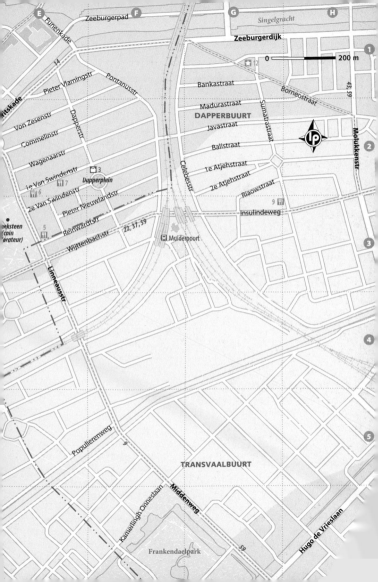

De Ijsbreker : une touche d'élégance et beaucoup de *gezelligheid* (p.158)

le menu à deux plats est idéal avant ou après le Tropenmuseum.

🍴 PATA NEGRA
Espagnol €€
☎ 692 25 06 ; Reinwardtstraat 1 ;
🕐 midi-minuit dim-jeu, 12h-1h ven et sam ; 🚊 3/7/9 Linnaeusstraat
L'annexe du restaurant de tapas constamment bondé d'Utrechtsestraat (p. 89), sur la ceinture des canaux sud.

🍴 ROOPRAM ROTI
Surinamien €
☎ 061 475 82 00 ; 1e Van Swindenstraat 4 ; 🕐 midi et soir ;
🚊 9 1e Van Swindenstraat ; 🅥 👶

On fait souvent la queue devant ce surinamien spartiate et succulent qui fait de la vente à emporter, mais elle avance vite. Commandez au bar – un *roti* d'agneau "extra" (avec œuf) ainsi qu'un *barra* (beignet de lentilles) –, et n'oubliez pas la sauce piquante.

🍴 TRINBAGO
Caribéen €€
☎ 061 469 39 87 ; 1e Van Swindenstraat 44 ; 🕐 soir mer-lun ;
🚊 9 1e Van Swindenstraat ; 🅥
La cuisine des Caraïbes se met sur son trente et un : des plats épicés comme le callaloo (une plante savoureuse) sont préparés avec tout l'amour de la cuisine de grand-mère

et présentés artistiquement. Les "créations de Calvin" (du nom du chef-artiste-propriétaire) de la carte sont toutes bonnes.

🍴 VILLA RUYSCH *Français* €€
☎ 663 53 66 ; Ruyschstraat 15 ; ⏱ 10h-22h30 ; 🚊 3 Wibautstraat ; ♿ Ⓥ ♨

Oost étant chiche en tables stylées, ce café chic sort du lot. On apprécie la formule petit déj : œufs au fromage, croissant feuilleté à souhait et confitures maison. Le soir, cocktails et cuisine française de bistrot sont à l'honneur. La terrasse est immense, mais ne manquez pas la sublime déco intérieure, tout en mosaïque en verre de Murano et autres touches scintillantes.

🍴 VISHANDEL RINKOEN
Fruits de mer €
☎ 463 11 18 ; Sumatrastraat 98 ; ⏱ 9h-16h30 lun-sam ; 🚊 3/7 Muiderpoortstation

Comme d'autres poissonneries marocaines du quartier, cette adresse se double d'un restaurant : faites votre choix dans la vitrine, vous serez servi à table dans la salle adjacente. Les crevettes entières arrivent avec une sauce à l'ail, le calamar est frit à la perfection et la soupe de poissons succulente - le tout pour environ 10 € par personne.

MÉRITE LE DÉTOUR

En manque de verdure après cette overdose de frites ? Le meilleur antidote aux FEBO (chaîne néerlandaise de fastfoods) est ce charmant restaurant, **De Kas** (☎ 462 45 62 ; www.restaurantdekas.nl ; Kamerlingh Onneslaan 3, Frankendael Park ; ⏱ 12h-14h lun-ven, 18h30-22h lun-sam ; ♿ Ⓥ), installé dans une superbe serre du XIXᵉ siècle. Le restaurant cultive ses produits dans la serre (demandez à visiter) et sur une parcelle agricole non loin d'Amsterdam, cueillis chaque matin pour composer le menu unique : cinq plats au dîner (47,50 €), quatre au déjeuner (35 €). La viande et le poisson sont de grande qualité et des plats sont concoctés pour les végétariens (à préciser lors de la réservation).

🍸 PRENDRE UN VERRE

🍸 DE IJSBREKER *Café brun*
☎ 468 18 08 ; Weesperzijde 23 ; ⏱ 9h-1h dim-jeu, 9h-2h ven et sam ; 🚊 3 Wibautstraat ; Ⓥ ♨

Prenez une chaise sur la terrasse de cet adorable café au bord de l'Amstel et résolvez le dilemme : face à la belle architecture ou devant les péniches sur la rivière miroitante ? L'intérieur accueillait jadis un grand club de jazz et de musique d'avant-garde, devenu aujourd'hui le Muziekgebouw aan 't IJ (p. 139) – cela laisse plus de place aux convives, attablés dans les box opulents ou au bar en marbre.

Sculpture des collections du Tropenmuseum (p. 113)

⭐ SORTIR

⭐ CANVAS OP DE 7E *Discothèque*

☎ 716 38 17 ; www.canvasopde7e.nl,
in Dutch ; Wibautstraat 150 ;
🕑 12h-1h, jusqu'à 3h ven et sam ;
🚇 3 Wibautstraat ; ♿

Un ascenseur conduit au 7ᵉ étage
de ce restaurant-bar-club alternatif
et improvisé : des artistes ont des
ateliers dans l'immeuble, ancien
siège du journal *Volkskrant*. Le
coucher de soleil y est sublime ;
à savourer avec un cocktail original
à 5 €. Consultez le site Internet pour
la programmation et pour savoir si le
lieu existe toujours – ces *broedplaats*
(pépinières) municipales ne durent
souvent que quelques années.

⭐ STUDIO K
Espace culturel et artistique

☎ 692 04 22 ; www.studio-k.nu ;
Timorplein 62 ; 🚇 14 Zeeburgerdijk ;
♿ Ⓥ 🚻

Avec deux cinémas, un espace
pour les concerts et le théâtre, un
restaurant gréco-espagnol (midi
et soir mardi et dimanche) et une
vitrine unique des tendances dans
l'Oost. Allez prendre un café, vous
y passerez peut-être toute la soirée
à danser…

⭐ TO NIGHT *Discothèque*

☎ 850 24 00 ; www.hotelarena.nl ;
's-Gravesandestraat 51 ; 🕑 jeu-sam ;
🚇 3/7 Beukenweg

Le club de l'Hotel Arena organise des soirées très éclectiques, de la salsa aux tubes des années 1990. Il est peut-être excentré mais vaut le détour : l'entrée à 15 € (voire moins) donne accès à l'une des plus sublimes salles amstellodamoises : une chapelle en marbre. Atout non négligeable, les boissons sont relativement bon marché.

⭐ **TROPENTHEATER**
Salles de concerts
☎ **568 85 00 ; www.tropentheater.nl ; Linnaeusstraat 2 ;**
🚇 **9/10/14 Alexanderplein ;** ♿ 🚻
Deux salles, jouxtant le Tropenmuseum, accueillent des artistes venus de Cuba, du Liban, du Kurdistan et d'ailleurs. Programmation et tarifs à consulter sur Internet.

NIEUWMARKT ET PLANTAGE

Au centre historique se substitue une Amsterdam plus moderne à hauteur de Nieuwmarkt, une place dominée par l'imposante silhouette du Waag, ancienne porte de la ville puis siège du Poids public, et qui abrite désormais l'un des nombreux cafés (In de Waag, p. 129) du quartier, un lieu de sortie très prisé.

Au sud-est, Jodenbreestraat mène dans l'ancien quartier juif, dont il ne reste que peu de vestiges, à la suite d'une rénovation très controversée dans les années 1980. Toutefois, quelques musées et monuments commémorent encore la communauté qui prospérait jadis ici et plus à l'est dans le Plantage. Imaginé comme un quartier de jardins à la fin du XVIIe siècle, le Plantage ne fut construit que vers 1850. C'est aujourd'hui encore l'un des quartiers les plus verdoyants de la ville. Il est bordé au nord par Entrepotdok, – une centaine d'entrepôts du XIXe siècle, rénovés eux aussi, mais avec bonheur cette fois.

Une partie de ce quartier n'est pas desservie par le tramway. On peut s'y rendre en bus ou en métro mais aussi à pied car Nieuwmarkt n'est pas très loin du Dam ou de Waterlooplein.

NIEUWMARKT ET PLANTAGE

🅒 VOIR
Zoo Artis 1 E4
Chiellerie 2 A3
Hollandsche
  Schouwburg............3 D4
Hortus Botanicus.........4 D4
Joods Historisch
  Museum 5 B4
Synagogue portugaise-
  israélite...................6 C4
Maison de Rembrandt
  (Rembrandthuis).......7 B3
Scheepvaarthuis 8 C1
Verzetsmuseum 9 E4
Wertheim Park............10 D4
Zuiderkerk 11 A3

🅒 SHOPPING
De Beestenwinkel 12 A4

Droog..........................13 A4
Het Fort van Sjakoo......14 B4
Joe's Vliegerwinkel......15 A3
't Klompenhuisje........16 A3
Marché aux puces de
  Waterlooplein..........17 B4

🍴 SE RESTAURER
Café Bern....................18 B2
Café Kadijk 19 E3
De Tokoman................20 B4
Éénvistweevis.............21 E3
Frenzi........................22 A4
Greetje......................23 C2
Hemelse
  Modder....................24 B2
In de Waag..................25 B2
Koffiehuis van den
  Volksbond................26 D3
Nam Kee.....................27 B2

Plancius 28 E4
Toko Joyce 29 A2

🍷 PRENDRE UN VERRE
Brouwerij 't IJ..............30 H4
De Doelen...................31 A4
De Engelbewaarder.......32 A3
De Sluyswacht.............33 B3
Greenhouse 34 B4
Lokaal 't Loosje 35 A2

⭐ SORTIR
Amsterdams Marionetten
  Theater 36 B2
Het Muziektheater.......37 B4
TunFun.......................38 C4

Voir carte p. 122-123

VOIR

◉ ZOO ARTIS

☎ 523 34 00 ; www.artis.nl ; **Plantage Kerklaan 38-40** ; **adulte/senior/3-9 ans/ moins de 3 ans 17,50/16,50/14 €/ gratuit** ; 🕑 **9h-17h sept-mai, 9h-18h dim-ven, 9h-crépuscule sam juin-août** ; 🚊 **9/14 Plantage Kerklaan** ; 🚹 🚻

Ce zoo fondé en 1838, bien qu'il soit petit, recèle de superbes bâtiments anciens (certains datant des tout débuts du Plantage) et un parc luxuriant. Avec plus de 700 espèces animales, c'est un paradis pour les enfants. Mention spéciale pour l'aquarium figurant un canal boueux avec ses épaves de vélos et ses anguilles. Le musée du zoo abrite une foule d'animaux naturalisés et autres reliques du XIXᵉ siècle. On peut jeter un coup d'œil dans l'enceinte du zoo depuis Entrepotdok, au nord - tâchez d'apercevoir les oryx et les zèbres !

◉ CHIELLERIE

☎ 320 94 48 ; www.chiellerie.nl ; **Raamgracht 58** ; 🕑 **14h-18h** ; 🚊 **9/14 Waterlooplein**

Très démocratique, cette galerie est ouverte à quiconque veut monter une expo – avec des résultats certes mitigés, mais sans jamais d'amateurisme. Les jeunes artistes d'Amsterdam font en tout cas un très bon usage du lieu.

◉ HOLLANDSCHE SCHOUWBURG

☎ 531 03 40 ; www.hollandscheschouwburg.nl ; **Plantage Middenlaan 24** ; 🕑 **11h-16h** ; **entrée libre** ; 🚊 **9/14 Plantage Kerklaan**

Situé dans le quartier juif, le Théâtre néerlandais de 1892 fut renommé Théâtre juif par les nazis en 1941, puis servit de centre de déportation. Des milliers de juifs sont partis d'ici pour les camps de la mort. Un mémorial et une exposition racontent cette terrible époque.

◉ HORTUS BOTANICUS

☎ 625 90 21 ; www.dehortus.nl ; **Plantage Middenlaan 2a** ; **7/3,50 €** ; 🕑 **9h-17h fév-juin et sept-nov, 9h-19h juil et août, 9h-16h déc et jan** ; 🚊 **9/14 Mr Visserplein** ; 🚹

Créé en 1682, l'Hortus Botanicus était à ses débuts réservé à la culture d'espèces exotiques rapportées par la VOC (Compagnie néerlandaise des Indes orientales). Malgré sa longue histoire, l'endroit est assez petit et pas aussi luxuriant qu'on le souhaiterait.

On y trouve une intéressante collection de plantes sud-africaines, la plus vieille plante en pot du monde (plus de 300 ans), un jardin semi-circulaire représentant le royaume des plantes et un joli café. Une jardinerie vend divers articles, dont des pots en terre en forme de sabots.

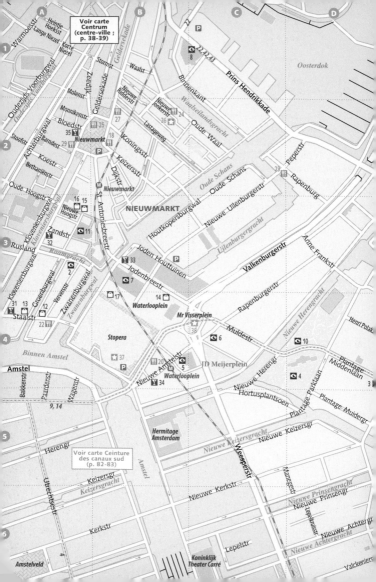

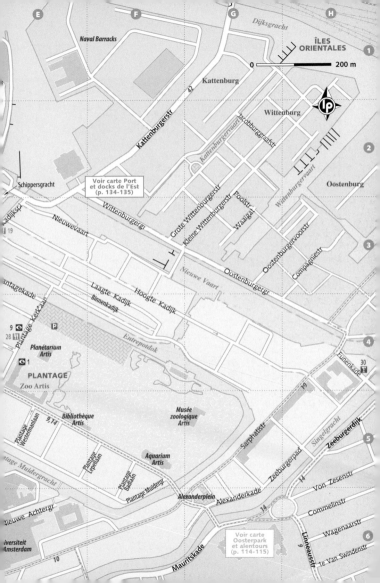

ÎLES ORIENTALES

Naval Barracks

Kattenburg

Wittenburg

Oostenburg

Dijksgracht

0   200 m

Schippersgracht

Kadijksg

Nieuwevaart

Wittenburgergr

Kattenburgervaart

Jacobburggraafst

Kattenburgerstr

Grote Wittenburgerstr

Kleine Wittenburgerstr

Poolstr

Waalgat

Oostenburgervoorstr

Compagniestr

Wittenburgervaart

Voir carte Port
et docks de l'Est
(p. 134-135)

Nieuwe Vaart

Oostenburgergr

antagekade

Laagte Kadijk

Hoogte Kadijk

Binnenkadijk

Entrepotdok

Funenkade

9
28

Plantage-Kerklaan

Planétarium
Artis

PLANTAGE

Zoo Artis

Plantage
Westermanlaan

9,14

Bibliothèque
Artis

Plantage
Lepellaan

Plantage
Badlaan

Musée
zoologique
Artis

Aquarium
Artis

Plantage Muidergracht

Alexanderplein

Alexanderkade

Sarphatistr

Zeeburgerpad

Singelgracht

Zeeburgerdijk

30

Von Zesenstr

Commelinstr

Wagenaarstr

1e Van Swindenstr

Nieuwe Achtergr

Plantage Muidergracht

iversiteit
Amsterdam

10

Mauritskade

Voir carte
Oosterpark
et alentours
(p. 114-115)

Linneausstr

La flore de l'Hortus Botanicus (p. 121)

JOODSHISTORISCHMUSEUM

Musée d'Histoire juive ; ☎ 531
03 10 ; www.jhm.nl ; Nieuwe
Amstelstraat 1 ; 7,50/3 € ; 🕙 11h-17h ;
♿ 9/14 Waterlooplein ; ♿

La Grande Synagogue (1675) abrite
des expositions sur le judaïsme et la
diaspora juive des Pays-Bas. La salle
la plus intéressante est peut-être
celle qui montre l'imprégnation de
la société néerlandaise par la culture
juive, des magasins HEMA à l'équipe
de football Ajax.

SYNAGOGUE
PORTUGAISE-ISRAÉLITE

☎ 624 53 51 ; www.esnoga.com ;
Mr Visserplein 3 ; 6,50/4 € ;

🕙 10h-16h dim-ven avr-oct, 10h-16h
dim-jeu, 10h-14h ven sept-mars ;
♿ 9/14 Mr Visserplein

Cachée derrière une rangée
de bâtiments à un étage, la
synagogue portugaise-israélite
était la plus grande d'Europe lors
de son achèvement en 1675. Ses
énormes piliers étaient inspirés
d'une maquette du temple de
Salomon de Jérusalem (exposée
au Bijbels Museum, p. 62). Son
intérieur, austère, se distingue par
ses lustres à bougies en cuivre et
le sable qui recouvre les sols. Si
vous visitez également le Joods
Historisch Museum (plus haut),
procurez-vous un billet combiné
(10/5 €).

◉ MAISON DE REMBRANDT (REMBRANDTHUIS)

☎ 520 04 00 ; www.rembrandthuis.nl ; Jodenbreestraat 4 ; adulte/moins de 6 ans/6-15 ans/étudiant 8/gratuit/1,50/5,50 € ; ⏰ 10h-17h ; 🚊 9/14 Waterlooplein ; ♿

Rembrandt Van Rijn (1606-1669) vécut et travailla dans cette maison près de 20 ans, jusqu'à ce que la pauvreté le contraigne à emménager dans un taudis du Jordaan. Son atelier baigné de lumière, aménagé comme si le peintre venait tout juste de s'éclipser pour grignoter un morceau dans la cuisine, est le clou de la visite. Une autre pièce est remplie des œuvres d'art et curiosités que Rembrandt collectionnait – coquillages, insectes, cornes d'animaux, bustes d'empereurs romains et œuvres d'autres artistes. À voir aussi : l'expo temporaire de croquis du peintre.

◉ SCHEEPVAARTHUIS

Maison navire ; Prins Hendrikkade 108 ; 🚊 22/32/33/34 Prins Hendrikkade ; ♿

Cet édifice de brique sombre, bâti en 1916, fut la première véritable production de l'école d'Amsterdam. Il est d'ailleurs resté le plus grandiose, et arbore de nombreux ornements architecturaux à thème nautique. Entrez à l'intérieur (c'est aujourd'hui un hôtel de luxe) pour admirer ses vitraux, ses magnifiques appliques et son majestueux escalier.

◉ VERZETSMUSEUM

☎ 620 25 35 ; www.verzetsmuseum.org ; Plantage Kerklaan 61 ; adulte/moins de 6 ans/7-15 ans 6,50/gratuit/3,50 € ; ⏰ 10h-17h mar-ven, 11h-17h sam-lun ; 🚊 9/14 Plantage Kerklaan ; ♿

Ce musée rend hommage à la Résistance néerlandaise, de ses actions de grande envergure (la grève des dockers en 1941) à celles plus petites et isolées (fabrication de faux papiers), sans passer sous silence le fait que la majorité des juifs néerlandais périrent pendant la Seconde Guerre mondiale. Tout aussi intéressante, l'aile consacrée à la Résistance dans les colonies néerlandaises montre comment celle-ci déboucha sur l'indépendance de l'Indonésie.

◉ WERTHEIM PARK

Plantage Parklaan ; ⏰ aube-crépuscule ; 🚊 9/14 Mr Visserplein

En face de l'Hortus Botanicus, ce coin ombragé de saules, en bord de canal, compte l'Auschwitz Memorial, conçu par l'écrivain néerlandais Jan Wolkers : un panneau d'éclats de miroirs installé dans le sol, qui reflète le ciel.

◉ ZUIDERKERK

☎ 622 29 62 ; Zuiderkerkhof 72 ; ⏰ 9h-16h lun-ven, 12h-16h sam ; Ⓜ Nieuwmarkt ; ♿

La première église protestante d'Amsterdam (1611) servit de morgue durant l'"Hiver de la faim" (Seconde Guerre mondiale). C'est aujourd'hui un centre d'information sur les projets d'aménagement urbain (le Pentagon, horrible complexe de logements des années 1980, se dresse juste à côté, comme un avertissement silencieux contre d'éventuelles mauvaises décisions…).

SHOPPING

DE BEESTENWINKEL *Enfants*
☎ 623 18 05 ; www.beestenwinkel. nl, en néerlandais ; Staalstraat 11 ; 🚊 9/14 Waterlooplein
Des ours en peluche aux groins de cochons en plastique rose, cette boutique déborde de jouets à l'effigie de nos amis les animaux.

DROOG *Design*
☎ 523 50 59 ; Staalstraat 7b ; 🕐 12h-18h mar-dim ; 🚊 4/9/14/16/24/25 Muntplein
Voici des articles drôles et décalés, même pour les plus petits d'entre eux (les crochets à ventouse, par exemple). La boutique est aménagée en aire de jeux (grande balançoire de jardin et banc plus que surprenant) et en galerie où sont exposées des pièces en édition limitée.

HET FORT VAN SJAKOO *Livres*
☎ 625 89 79 ; Jodenbreestraat 24 ; 🕐 11h-18h lun-ven, 11h-17h sam ; 🚊 9/14 Waterlooplein

Cette librairie marquée nettement à gauche (en activité depuis 1977) vend des ouvrages sur la culture underground (squats, etc.), des fanzines et des traductions de Trotski.

JOE'S VLIEGERWINKEL *Enfants*
☎ 625 01 39 ; Nieuwe Hoogstraat 19 ; Ⓜ Nieuwmarkt
Tout ce qui vole se trouve dans ce magasin spécialiste du cerf-volant. Choisissez un modèle coloré pour enfants ou un luxueux modèle chinois représentant un dragon et filez tout droit à Museumplein (p. 96).

Petits trésors vendus au Waterloopleinmarkt

LES MARCHÉS

Outre les produits de la ferme et les vêtements vendus au Noordermarkt (p. 67), Amsterdam compte plusieurs autres marchés qui valent le détour, notamment :

> **Antiquités** Nieuwmarkt (carte p. 122-123, B2 ; 🕑 9h-17h dim mai-sept) ; Amstelveld (carte p. 82-83, F4 ; 🕑 9h-18h dernier ven du mois mai-août)
> **Produits bio** Nieuwmarkt (carte p. 122-123, B2 ; 🕑 9h-15h sam), Haarlemmerplein (carte p. 60-61, C1 ; 🕑 9h-14h mer)
> **Livres** Spui (carte p. 38-39, B7 ; 🕑 8h-18h ven)
> **Plantes** Amstelveld (carte p. 82-83, F4 ; 🕑 8h30-13h lun mars-déc)

🔲 'T KLOMPENHUISJE
Chaussures, enfants

☎ 622 81 00 ; Nieuwe Hoogstraat 9a ;
🕑 lun-sam ; Ⓜ Nieuwmarkt

Belle facture et grand confort pour les traditionnels *klompen* (sabots hollandais), parfaits pour marcher dans son jardin. La boutique propose aussi une large gamme de chaussures pour enfants.

🔲 WATERLOOPLEINMARKT
Antiquités, mode

Waterlooplein ; 🕑 9h-17h lun-sam ;
🚋 9/14 Waterlooplein ; ♿

Ce marché aux puces proche du Stopera (p. 131) est idéal pour dénicher un ensemble vintage original, fouiller dans des piles de vêtements à 1 € la pièce, ou encore s'approvisionner en vieux objets ébréchés et autres couvre-lits de style hippie. N'y allez pas trop tard l'après-midi, les vendeurs remballent leur marchandise vers 16h30.

🍴 SE RESTAURER

🍴 CAFÉ BERN SUISSE €€
☎ 622 00 34 ; Nieuwmarkt 9 ; 🕑 dîner ;
Ⓜ Nieuwmarkt ; Ⓥ ♿

La clientèle se presse depuis plus de 40 ans dans ce café brun bien défraîchi pour se régaler de fondue savoyarde et d'entrecôte. Le Café Bern Suisse est fermé presque tout l'été, mais qui aurait l'idée de manger une fondue à cette saison ?

🍴 CAFÉ KADIJK *Indonésien* €
☎ 0617-744 44 11 ; Kadijksplein 5 ;
🕑 12h-22h ; 🚌 22/42/43/359 Plantage Kerklaan

Ce café branché sur 2 étages, à la cuisine minuscule, sert une bonne nourriture indonésienne. Goûtez aux *Eitjes van Tante Bea*, mélange épicé d'œufs, de crevettes et de haricots, ou bien optez pour le savoureux curry *rendang*. Et comme après tout nous sommes dans un café, il y a de l'*appeltaart* au dessert.

🍽 DE TOKOMAN *Surinamien* €
☎ 421 56 36 ; Waterlooplein 327 ;
🕓 11h-19h30 lun-sam ;
🚊 9/14 Waterlooplein ; Ⓥ ♿

On sert ici, paraît-il, le meilleur *broodje pom,* sandwich garni d'une savoureuse purée à base de poulet et de tubercule du Surinam, à déguster avec du *zuur* (condiment au chou) et du *peper* (piment), le tout accompagné d'une canette fraîche d'une boisson à base de lait de coco. Si vous avez encore faim, descendez dans la bouche de métro Waterlooplein et offrez-vous un *chili kip* ou un sandwich *zoutvlees* chez De Hapjeshoek.

🍽 ÉÉNVISTWEEVIS
Fruits de mer €€
☎ 623 28 94 ; Schippersgracht 6 ;
🕓 18h-22h mar-dim ;
🚌 22/42/43/359 Kadijksplein ; ♿

Adresse discrète, prisée des habitants, proposant un court menu (écrit à la main) concocté avec des produits de la mer frais. Le service est plutôt lent et le restaurant bruyant, mais les huîtres, la soupe et les plats, comme la sole meunière, sont vraiment délicieux.

🍽 FRENZI
Méditerranéen €€
☎ 423 51 12 ; Zwanenburgwal 232 ;
🕓 8h30-23h lun-ven, 10h-23h sam et dim ; 🚊 9/14 Waterlooplein ;
♿ Ⓥ ♿

Après une expédition au marché de Waterlooplein (p. 127), reprenez des forces dans ce café-restaurant avec un énorme sandwich (*vitello tonnato* sur du pain – génial !) ou une assiette de pâtes, et peut-être un dessert de la célèbre pâtisserie Holtkamp (c'est plus pratique que de se rendre dans la pâtisserie elle-même, située dans Vijzelgracht).

🍽 GREETJE
Néerlandais €€€
☎ 779 74 50 ; www.restaurantgreetje.nl ;
Peperstraat 23-25 ; 🕓 dîner mar-dim ;
Ⓜ Nieuwmarkt ; Ⓥ

Cet élégant restaurant fait voir la gastronomie néerlandaise sous un jour nouveau. Ici, pas de *stamppot* mais des plats traditionnels comme la soupe aux poireaux, le maquereau au vinaigre et la queue de bœuf braisée, le tout à base de produits frais du marché et présenté avec art.

🍽 HEMELSE MODDER
Néerlandais €€
☎ 624 32 03 ; Oude Waal 11 ; 🕓 dîner mar-dim ; Ⓜ Nieuwmarkt ; ♿ Ⓥ

Murs vert céleri et tables de bois blond pour le cadre, cuisine légère et sans prétention dans les assiettes mettant l'accent sur les produits frais et les poissons de la mer du Nord. S'il n'y a pas de pudding aux baies pour le dessert, rabattez-vous sur l'*hemelse modder* ("boue céleste"), une très bonne mousse au chocolat.

☖ IN DE WAAG
International €€

☎ 422 77 72 ; Nieuwmarkt 4 ; ☽ 10h-minuit ; Ⓜ Nieuwmarkt ; ♿ Ⓥ ♨

L'emplacement de choix de sa terrasse, au centre de Nieuwmarkt, ne doit pas faire oublier l'intérieur, éclairé par des bougies, de cet imposant bâtiment historique. Au déjeuner, les sandwichs sont gargantuesques mais il existe aussi une bonne sélection de plats chauds. Les tarifs du dîner sont beaucoup trop élevés.

☖ KOFFIEHUIS VAN DEN VOLKSBOND
International €€

☎ 622 12 09 ; Kadijksplein 4 ; ☽ dîner ; ⛙ 22/42/43/359 Plantage Kerklaan ; Ⓥ ♨

Ce qui était au début un café pour les dockers a connu par la suite une renaissance grâce aux squatteurs. L'endroit dégage encore une atmosphère grunge et tendance (parquets, immense fresque murale rouge et rose, hauts chandeliers sur les tables). Le menu, qui change régulièrement, propose des plats simples et roboratifs (moules, saucisse marocaine, etc.).

☖ NAM KEE *Chinois* €

☎ 638 28 48 ; Gelderskade 447 ; ☽ 12h-23h ; Ⓜ Nieuwmarkt ; Ⓥ

Enseigne plus agréable du fameux restaurant chinois (p. 50).

☖ PLANCIUS
Méditerranéen €€

☎ 330 94 69 ; Plantage Kerklaan 61 ; ☽ 11h-23h ; ⛙ 9/14 Plantage Kerklaan ; Ⓥ ♨

Garage transformé en restaurant à la déco industrielle chic, proposant autre chose que des sandwichs au déjeuner : par exemple, un burger d'agneau, une excellente salade mixte, et quelques plats de pâtes. Au dîner, les plats sont un peu plus haut de gamme. La clientèle compte de nombreux cadres de l'audiovisuel qui travaillent tout près.

☖ TOKO JOYCE *Indonésien* €

☎ 427 90 91 ; Nieuwmarkt 38 ; ☽ 11h-20h mar-sam, 16h-20h dim et lun ; Ⓜ Nieuwmarkt ; Ⓥ ♨

Restaurant de plats à emporter, à choisir parmi les spécialités surinamiennes et indonésiennes, par exemple du riz jaune et divers ragoûts au lait de coco. Pour finir, offrez-vous une tranche de *spekkoek* (sorte de pain d'épice).

☖ PRENDRE UN VERRE

☖ BROUWERIJ 'T IJ *Bar à bières*

☎ 622 83 25 ; Funenkade 7 ; ☽ 15h-20h mer-dim ; ⛙ 10 Hoogte Kadijk

Après avoir photographié la salle de dégustation de la petite brasserie phare d'Amsterdam, à l'intérieur douillet et très défraîchi, offrez-vous

NIEUWMARKT ET PLANTAGE

EFFET D'OPTIQUE

Si certains édifices (comme le Sluyswacht, p.131) se sont affaissés au fil des siècles, nombre de maisons en bord de canal ont été construites de sorte à pencher vers l'avant. Les escaliers intérieurs étaient très étroits et les propriétaires avaient besoin de place pour transporter le mobilier volumineux dans les étages. La solution consistait donc à inclure un palan dans le pignon afin de faire passer les objets lourds par les fenêtres. La façade penchée vers l'avant permettait de soulever la charge sans que celle-ci heurte le mur. En outre, cela fait paraître les maisons plus larges. Le touriste admire d'autant mieux les façades et les pignons.

une délicieuse bière maison. La brasserie se trouve au pied du moulin De Gooyer (XVIIIe siècle), le dernier des cinq moulins qui se dressaient jadis dans le secteur.

Y DE DOELEN *Café brun*
☎ 624 90 23 ; Kloveniersburgwal 125 ;
🕙 8h-1h lun-jeu, 8h-2h ven et sam ;
🚋 4/9/14/16/24/25 Muntplein
Installé à un carrefour animé, entre l'Amstel et De Wallen (le quartier Rouge), ce café de 1895 fait largement son âge (tête de chèvre en bois sculpté, lampes avec abat-jour en vitraux et sable sur le sol) mais dégage une atmosphère jeune et gaie. Quand il fait beau, les tables débordent de l'autre côté de la rue, au bord du canal.

Y DE ENGELBEWAARDER
Café brun
☎ 625 37 72 ; Kloveniersburgwal 59 ;
🚋 9/14 Waterlooplein
Si vous aimez le jazz, venez un dimanche après-midi (à partir de 16h30) dans ce petit café qui

organise des sessions ouvertes depuis plusieurs décennies. Le reste de la semaine, c'est un café à l'ancienne agréable et tranquille.

Y DE SLUYSWACHT *Café brun*
☎ 625 76 11 ; Jodenbreestraat 1 ;
🚋 9/14 Waterlooplein
Ce minuscule édifice noir – qui semble tanguer comme un bateau par grand vent – était jadis la maison d'un éclusier. Aujourd'hui, sa terrasse en bord de canal est l'un des endroits les plus agréables pour boire un verre, surtout après la visite du marché de Waterlooplein (p. 127).

Y GREENHOUSE *Coffee shop*
☎ 622 54 99 ; Waterlooplein 345 ;
🕙 9h-1h dim-jeu, 9h-2h ven et sam ;
🚋 9/14 Waterlooplein
Enseigne de l'excellente boutique du Pijp (p. 111), l'établissement est interdit aux moins de 21 ans.

Y LOKAAL 'T LOOSJE *Café brun*
☎ 627 26 35 ; Nieuwmarkt 32-34 ;
Ⓜ Nieuwmarkt

Ce café aux belles fenêtres en verre gravé et aux murs ornés de tableaux en faïence figure parmi les plus ravissants et les plus anciens de Nieuwmarkt – idéal pour s'imprégner de l'atmosphère de la place.

⭐ SORTIR

⭐ AMSTERDAMSMARIONETTEN THEATER *Théâtre*

☎ 620 80 27 ; www.marionettentheater.nl ; Nieuwe Jonkerstraat 8 ; adulte/8-14 ans 12,50/7,50 € ; Ⓜ Nieuwmarkt ; ♿

Ce théâtre de marionnettes propose des opéras de Mozart, comme *La Flûte enchantée*, aux enfants (à partir de 8 ans) et aux adultes.

De Sluyswacht, une certaine inclination…

Tout y est : décors féériques, costumes d'époque et chants superbes. Les représentations ont lieu environ deux fois par mois.

⭐ HET MUZIEKTHEATER
Salle de concerts

☎ 625 54 55 ; www.hetmuziektheater.nl ; Waterlooplein 22 ; 🕙 guichet 10h-18h lun-sam ; 🚋 9/14 Waterlooplein ; ♿

La salle de concerts attenante à l'hôtel de ville d'Amsterdam (d'où son surnom, Stopera, contraction de *stadhuis* et *opéra*) abrite le Ballet national et l'Opéra des Pays-Bas. Sur le côté est du bâtiment, une petite expo se déploie autour du Normal Amsterdams Peil, indicateur du niveau de référence de l'altitude pour l'ensemble des Pays-Bas, à partir duquel sont effectués les calculs de construction de tous les édifices du pays. Un diorama montre que la ville se trouve bien au-dessous du niveau de la mer.

⭐ TUNFUN *Aire de jeux*

☎ 689 43 00 ; www.tunfun.nl ; Mr Visserplein 7 ; entrée libre/7,50 € ; 🕙 10h-18h ; 🚋 9/14 Mr Visserplein ; ♿

Ancien passage souterrain judicieusement réaménagé, TunFun est une immense aire de jeux couverte, idéale les jours de pluie. Les enfants (1-12 ans, accompagnés d'un adulte) peuvent s'ébattre en toute liberté, tandis que leurs parents se détendent au café.

PORT ET DOCKS DE L'EST

En tout juste dix ans, le port d'Amsterdam a complètement changé de visage. Cette zone jadis en marge (tant géographiquement que culturellement) est devenue un quartier résidentiel branché et riche en offre culturelle. Tout en lignes droites et vues dégagées, il est l'occasion d'une visite rafraîchissante, ne serait-ce que par contraste avec le centre-ville, mais vous y viendrez peut-être aussi spécialement pour un concert au Muziekgebouw aan 't IJ (p. 139).

L'imposant NEMO (p. 133), bâti en 1997, a inauguré cette nouvelle ère. Les vieux entrepôts et docks ont été détruits et de nouveaux projets commandés. Certains bâtiments d'habitation sont tristes par temps gris, mais ne manquez pas les étonnantes constructions à l'extrémité ouest de Java-eiland, l'immeuble anguleux et argenté surnommé "la Baleine" (à l'extrémité ouest de Sporenburg) et les courbes de la passerelle rouge reliant Borneo-eiland à Sporenburg.

Ce quartier moins dense est agréable à découvrir à bicyclette. Les bars et cafés, relativement rares, tirent le meilleur parti de ce cadre exceptionnel.

PORT ET DOCKS DE L'EST

👁 VOIR

ARCAM	**1**	B5
Nederlands Scheepvaartmuseum	**2**	B5
NEMO	**3**	B4
Openbare Bibliotheek Amsterdam	**4**	A4

🛍 SHOPPING

De Ode	**5**	F3
JC Creations	**6**	G4
Keet in Huis	**7**	F3
Pol's Potten	**8**	F3
Sissy-Boy	(voir 8)	

🍴 SE RESTAURER

De Wereldbol	**9**	G3
Einde van de Wereld	**10**	E3
Fifteen	**11**	C3
Frank's Smokehouse	**12**	C5
Gare de l'Est	**13**	F6
Kompaszaal	**14**	F3
Roos en Noor	**15**	G4
Snel	**16**	F4
Star Ferry	**17**	B3

🍸 PRENDRE UN VERRE

Kanis & Meiland	**18**	F3
KHL	**19**	F4

⭐ SORTIR

Bimhuis	**20**	B3
Conservatorium van Amsterdam	**21**	A4
Muziekgebouw aan 't IJ	**22**	B3
Panama	**23**	E4

Voir carte p. 134-135

VOIR

ARCAM

☎ 620 48 78 ; www.arcam.nl ; Prins
Hendrikkade 600 ; 🕑 13h-17h mar-sam ;
🚌 32/33/34/35/359/361/363 IJ-Tunnel

Dans un édifice des plus étonnants,
l'Architectuurcentrum (ARCAM,
centre d'architecture) doit être
une priorité pour tous les fanas
d'architecture et d'urbanisme.
Sur place, le personnel peut vous
suggérer des édifices à voir en
fonction de vos intérêts, et le centre
organise régulièrement des expos
sur l'architecture néerlandaise et
internationale.

NEDERLANDS
SCHEEPVAARTMUSEUM

Musée maritime des Pays-Bas ; ☎ 523
22 22 ; www.scheepvaartmuseum.nl ;
Kattenburgerplein 1 ;
🚌 22/43 Kattenburgerplein

Lors de notre passage, le
Scheepvaartmuseum était fermé
pour rénovation et ne devait pas
rouvrir avant la fin 2010. Sa réplique
grandeur nature de l'*Amsterdam*,
un 700 tonneaux, est amarrée près
du NEMO.

NEMO

☎ 531 32 33 ; www.e-nemo.nl ;
Oosterdok 2 ; adulte/moins de 4 ans
11,50 €/gratuit ; 🕑 10h-17h mar-dim sept-
juin, tlj juil-août ; 🚌 32/33/34/35/359/
361/363 IJ-Tunnel ; ♿

Dressé dans le port tel un navire,
le fascinant édifice vert conçu par
Renzo Piano abrite un excellent
musée des Sciences et Technologies
avec des laboratoires interactifs. En
rejoignant le musée, vous admirerez
une collection de cargos restaurés et
pourrez visiter la superbe réplique
de l'*Amsterdam* (5 €, ou 15 € avec
l'entrée au NEMO), accueilli par
de joyeux pirates dépenaillés qui
entonnent des chants de marins.
Sur le toit du NEMO (entrée libre) se
trouve la plus vaste terrasse d'été
d'Amsterdam.

Reconnaissable entre mille, la silhouette du NEMO

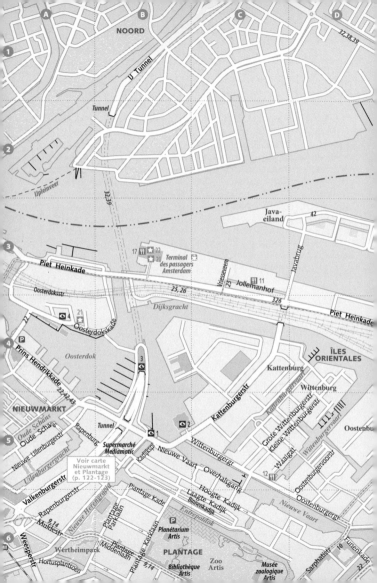

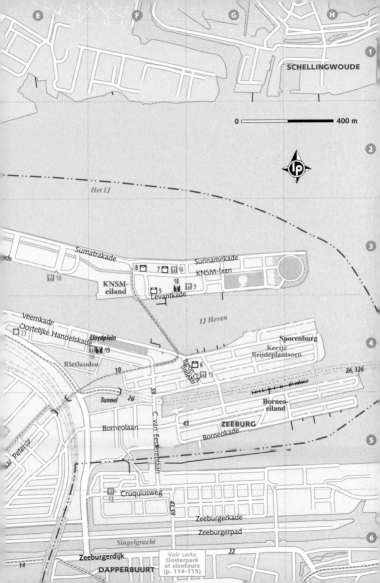

OPENBARE BIBLIOTHEEK AMSTERDAM

**Bibliothèque publique d'Amsterdam ;
☎ 523 09 00 ; www.oba.nl ;
Oosterdokskade 143 ; 🕙 10h-22h ;
🚇 25/26 Muziekgebouw ; ♿**
Inondée de lumière, cette "tour
du savoir" de 9 étages revisite le
concept de bibliothèque publique.
De vastes canapés sont disséminés
à chaque niveau, d'innombrables
ordinateurs offrent l'accès à Internet
et l'on a une superbe vue depuis le
café au dernier étage (succursale de
La Place, p. 50).

SHOPPING

DE ODE *Boutique spécialisée*

**☎ 419 08 82 ; Levantkade 51 ; 🕙 sur
rdv uniquement ; 🚇 10 Azartplein**
Enterrez vos êtres chers avec style
grâce aux cercueils originaux de
cette boutique unique en son genre.
Sur rendez-vous uniquement, mais
en vitrine sont toujours exposés des
articles fascinants.

JC CREATIONS *Mode*

**☎ 419 72 20 ; Baron GA Tindalstraat
150 ; 🕙 11h-18h mar-ven, 11h-17h sam ;
🚇 10 C van Eesterenlaan**
On rentre le ventre en pénétrant
dans cette petite échoppe
spécialisée dans les corsets élégants.
Large choix d'articles de confection,
mais les commandes sur mesure
sont bienvenues.

KEET IN HUIS *Enfants*

**☎ 419 59 58 ; KNSM-laan 297 ; 🕙 mar-
dim ; 🚇 10 Azartplein**
Dans ce grand magasin sur deux
niveaux, les petits se défoulent sur
l'aire de jeux pendant que leurs
parents ultrabranchés musardent
entre poussettes Bugaboo, objets de
déco marrants, sacs à langer stylés
et quantité de vêtements à croquer.

POL'S POTTEN *Design*

**☎ 419 35 41 ; KNSM-laan 39 ; 🕙 mar-
dim ; 🚇 10 Azartplein**
Où vont se meubler les nouveaux
arrivants de ce quartier très porté
sur le design ? Dans cette grande
boutique de design d'intérieur,
qui vend des céramiques
particulièrement belles.

SISSY-BOY
Mode, articles pour la maison

**☎ 419 15 59 ; KNSM-laan 19 ; 🕙 8h-19h
lun-sam, 11h-19h dim ; 🚇 10 Azartplein**
Vaste succursale de cette chaîne
de vêtements et d'articles pour la
maison de qualité (p. 47).

SE RESTAURER

DE WERELDBOL
International €

**☎ 362 87 25 ; Piraeusplein 59 ; 🕙 11h-
21h mar-ven, 12h-21h sam et dim ;
🚇 10 Azartplein ; Ⓥ ♿**
Un cuisinier et maître des lieux
passionné et de belle prestance,

une carte qui change souvent et une superbe vue sur l'eau : l'endroit idéal après une journée de visite. Attention, il ferme tôt.

🍽 EINDE VAN DE WERELD
Végétarien €

☎ 419 02 22 ; en face du Javakade 4 ;
🕑 dès 19h mer et ven ;
🚊 10 Azartplein ; Ⓥ ♿

Le "bout du monde", c'est un imposant navire jaune, le *Quo Vadis*. À bord, le restaurant tenu par des bénévoles est bon marché et très accueillant. Venez tôt : ici on ne réserve pas, et quand il n'y a plus rien à manger, c'est terminé.

🍽 FIFTEEN *Italien* €€€

☎ 0900 343 83 36 ; Jollemanhof 9 ;
🕑 soir ; 🚊 25 PTA ; ♿

Inspirée du concept de formation à la cuisine de jeunes défavorisés imaginé par le chef Jamie Oliver, cette adresse sympa affiche un style industriel avec graffitis. Le menu unique à 4 plats change chaque semaine. La nourriture (et le concept) ne font pas l'unanimité, mais notre repas était savoureux et bien préparé.

🍽 FRANK'S SMOKEHOUSE
Sandwicherie €

☎ 670 07 74 ; Wittenburgergracht 303 ;
🕑 9h-16h lun, 9h-18h mar-ven, 9h-17h sam ; 🚊 10 1e Coehoornstraat, 🚌 22/43 Wittenburgergracht

Frank est un pro du poisson fumé : anguille, saumon, flétan, thon, etc. Il fait de la vente à emporter (sous vide si vous le souhaitez, pour le passage en douane), mais vous pouvez aussi vous asseoir à l'unique table pour déguster un excellent sandwich au maquereau, une soupe ou une assiette de charcuterie.

🍽 GARE DE L'EST
International €€

☎ 463 06 20 ; Cruquiusweg 9 ; 🕑 soir ;
🚊 4 Zeeburgerdijk, 🚌 Stadsdeel Zeeburg

Les quatre chefs sont aussi cosmopolites que leur déco parisiano-marocaine. Nous avons choisi le menu méditerranéen à 4 plats (autres options, Afrique du Nord et Asie), avec des fruits de mer excellemment préparés et une belle assiette de fromages. L'adresse vaut le détour.

🍽 KOMPASZAAL *Café* €

☎ 419 95 96 ; KNSM-laan 311 ; 🕑 11h-1h mer-dim ; 🚊 10 Azartplein

Dans le hall des arrivées de la Compagnie royale néerlandaise des bateaux à vapeur (KNSM), une carte aux saveurs malaisiennes, indiennes et indonésiennes ; les carrelages verts et la vue depuis le balcon (parfait pour une bière) sont plus captivants encore. Au rez-de-chaussée, observez les maquettes des docks de l'Est.

LES QUARTIERS

PORT ET DOCKS DE L'EST

🍴 ROOS EN NOOR
International €

☎ 419 14 40 ; Baron GA Tindalstraat 148 ;
🕑 16h-21h lun-ven, 15h-20h dim ;
🚊 10 C van Eesterenlaan

Ce traiteur à emporter, chic, offre un grand buffet de plats préparés, comme le canard aux cinq épices et les betteraves sautées, mais aussi des repas complets et des desserts. Une bonne adresse pour un déjeuner tardif ou un dîner à savourer en explorant l'architecture des docks.

🍴 SNEL
International €€

☎ 561 36 77 ; Oostelijke Handelskade 34 ;
🕑 7h-1h ; 🚊 10 C van Eesterenlaan

Ce restaurant figure ici non pas pour un vrai repas, mais comme prétexte pour jeter un œil au merveilleux Lloyd Hotel, aménagé dans un édifice en brique des années 1920. Vaste, le restaurant sert des en-cas toute la journée et a un superbe jardin.

🍴 STAR FERRY *Café* €€

☎ 788 20 90 ; www.starferry.nl, en néerlandais ; Piet Heinkade 1 ;
🕑 10h-1h dim-jeu, 10h-2h ven et sam ;
🚊 25/26 Muziekgebouw ; ♿ 🅥 🚻

Le café du Muziekgebouw aan 't IJ est imbattable en termes de cadre et de vue : le panorama sur le port est saisissant depuis ses étages tout vitrés.

DÉCOUVRIR AMSTERDAM À PEU DE FRAIS

Pour admirer la ville dans ses grandes largeurs, rien de tel que le tram, dont les lignes sillonnent la ville. L'une des meilleures est la n°10, qui part près de Westerpark, longe la ceinture des canaux et rejoint les docks de l'Est, via des édifices du XIXᵉ siècle, le Rijksmuseum (p. 98) et le moulin De Gooyer (p. 130). La ligne n°5 est intéressante également, au départ de Centraal Station et traversant le centre vers le sud. La GVB propose un commentaire gratuit en podcast (en anglais) sur cet itinéraire, à télécharger dans la rubrique "Tourist Guide" sur www.gvb.nl.

🍸 PRENDRE UN VERRE

🍸 KANIS & MEILAND *Café*

☎ 418 24 39 ; Levantkade 127 ;
🚊 10 Azartplein ; 🚻

Premier café du quartier, cette adresse spacieuse a ses nombreux habitués qui viennent prendre un café et s'installer à la table de lecture. En terrasse, belle vue sur le "continent".

🍸 KHL *Café*

☎ 779 15 75 ; Oostelijke Handelskade 44 ; 🚊 10 C van Eesterenlaan ; ♿

À deux pas du Lloyd Hotel, dans un bâtiment historique en brique (l'un des rares que conserve le quartier), cet ancien café-squat est rentré dans le rang. Le jardin est très agréable. Dans la salle du fond, de la musique éclectique retentit souvent le week-end.

SORTIR

☆ BIMHUIS *Salle de concerts*
☎ 788 21 88 ; www.bimhuis.nl ;
Piet Heinkade 3 ; billets 12-20 € ;
🚊 25/26 Muziekgebouw ; ♿

Centre nerveux de la scène jazz et de musique improvisée à Amsterdam depuis 1973, le Bimhuis est resté fidèle à lui-même, malgré sa fusion (architecturale) avec le Muziekgebouw (ci-contre). Jam-sessions ouvertes à tous le mardi à 22h30 : amusant et gratuit.

☆ CONSERVATORIUM VAN AMSTERDAM *Salle de concerts*
☎ 527 75 50 ; www.conservatorium vanamsterdam.nl ; Oosterdokskade 151 ;
🚊 25/26 Muziekgebouw

Le prestigieux conservatoire de musique d'Amsterdam occupe une construction spectaculaire dans le port. C'est une excellente adresse pour assister à des concerts jazz et classiques et à des opéras à prix très abordable.

☆ MUZIEKGEBOUW AAN 'T IJ *Salle de concerts*
☎ 788 20 00 ; www.muziekgebouw.nl ;
Piet Heinkade 1 ; billets 8,50-27,50 € ;
🚊 25/26 Muziekgebouw ; ♿

Ce bel édifice accueille de multiples prestations, du Holland Symfonia

L'extérieur du Centre d'architecture d'Amsterdam (ARCAM ; p. 133)

(qui accompagne souvent le ballet national) au prestigieux Metropole Orkest, qui mêle jazz et pop.

⭐ PANAMA
Discothèque, musique live

☎ 311 86 86 ; www.panama.nl ;
Oostelijke Handelskade 4 ;
🚊 10/26 Rietlandpark

Avec une riche programmation de soirées à thème et une équipe de DJ internationaux, mais aussi des concerts et divers spectacles d'humour, le Panama affiche complet presque tous les soirs. Malgré le nom latino, la déco est de style asiatique. Les cocktails sont à se damner.

>QUARTIERS EXCENTRÉS

Les cartes postales ne le montrent guère, mais Amsterdam va bien au-delà de la ceinture des canaux. La ville comprend aussi bien des complexes résidentiels denses que des champs où paissent les vaches, le tout à portée de vélo, de ferry ou de métro. La visite des quartiers présentés ici peut se limiter à quelques heures ou prendre la journée, selon vos centres d'intérêt. Les plus grands espaces verts de la ville, le quartier le moins bien coté d'Amsterdam (qui abrite aussi quelques exemples d'architecture contemporaine parmi les meilleurs) et la zone bucolique que nous vous suggérons ne se targuent d'aucun musée remarquable ni site incontournable, mais ils offrent un changement de rythme étonnant après la densité du centre historique. Et ils sont une occasion immanquable de se faire une tout autre idée d'Amsterdam.

Bateaux amarrés sur l'Amstel

DE BIJLMER

Blij in de Bijlmer! ("Heureux à Bijlmer !") clament les T-shirts des défenseurs de ce qui, il y a dix encore, était le quartier le plus mal famé d'Amsterdam, connu pour ses agressions, ses junkies et ses logements sociaux délabrés. Aucune autre partie d'Amsterdam n'a vécu de changement aussi spectaculaire en si peu de temps. La plus importante communauté surinamienne de la ville vit ici, aux côtés d'immigrés d'Afrique du Nord et de l'Ouest. Un superbe lac, le Gaasperplas, s'étend au sud. Et ce qui fut jadis du morne béton vaguement inspiré par Le Corbusier sert aujourd'hui de terrain d'expérimentation aux architectes les plus créatifs des Pays-Bas.

La visite à vélo est agréable, mais pas indispensable, sachant que le trajet de 30 minutes depuis le centre-ville n'a rien d'extraordinaire. Prenez plutôt le métro (avec votre vélo si vous le souhaitez) jusqu'à la spectaculaire station Bijlmer, conçue par Nicholas Grimshaw et ouverte en 2007. À l'ouest se trouve

Paré au décollage : le futuriste immeuble ING à De Bijlmer

le **stade de l'Ajax**, le club de football adoré des Amstellodamois. Dans le centre commercial, à l'est des voies ferrées, juste après l'étonnant **immeuble ING** (écoénergétique et "vert" dans les années 1980 déjà), rendez-vous au centre culturel **Imagine IC**, qui propose des cartes et d'excellentes visites audioguidées gratuites du quartier. De là, en flânant vers l'est, vous découvrirez toutes sortes de constructions innovantes, dont une version miniature du NEMO (p. 133).

Elles cèdent ensuite la place à quelques **"immeubles en nids d'abeilles"** du Bijlmer d'antan, comptant chacun quelque 400 appartements. Les brochures des années 1960 vantaient "une cité moderne où les habitants d'aujourd'hui peuvent trouver l'environnement résidentiel de demain". Mais ce complexe austère et isolé s'est rapidement dégradé et, dès les années 1970, les appartements vides ont commencé à accueillir des immigrés défavorisés. Dans les années 1980, la criminalité est devenue endémique, et les infrastructures se sont délabrées. Aujourd'hui, les anciens habitants se souviennent des pelouses jonchées de détritus et des ascenseurs en panne, mais beaucoup sont également nostalgiques de l'esprit de solidarité et du cadre verdoyant qui caractérisaient l'endroit.

En 1992, un avion-cargo d'El Al s'écrasa sur deux immeubles, faisant 43 victimes, dont beaucoup d'étrangers sans papiers ; un monument à leur mémoire a été érigé devant l'emplacement des immeubles détruits. Ce drame entraîna une refonte totale du quartier et un rééquilibrage entre secteur public et entrepreneurs privés largement en faveur de ces derniers. Autour du métro Kraaiennest, l'architecture ne semble guère avoir changé, à l'exception de l'étincelante **mosquée Taibah**, la première des Pays-Bas, construite en 1984. À la station Ganzenhoef, plus au nord, on trouve des bâtiments neufs et anciens, un marché très animé (le samedi), une ferme pour les enfants, ainsi qu'un excellent restaurant surinamo-javanais, **De Smeltkroes**.

INFORMATION

Distance 7,5 km au sud-est du centre d'Amsterdam
Depuis/vers De Bijlmer Ⓜ Bijlmer Arena, Ganzenhoef ou Kraaiennest
Renseignements Imagine IC (☎ 489 48 66; www.imagineic.nl ; Bijlmerplein 1006 ;
🕑 11h-17h mar-sam, 11h-21h jeu)
Se restaurer Kam Yin (☎ 409 58 88 ; Bijlmerplein 525 ; 🕑 11h-21h lun-sam, 15h-21h
dim), succursale du restaurant de Warmoesstraat (p. 50) ; De Smeltkroes (☎ 495 20 76 ;
Bijlmerdreef 1289 ; 🕑 10h30-21h30 lun-ven, 13h-21h30 sam)

AMSTERDAM-NOORD

À seulement quelques minutes de ferry sur l'IJ, vieilles demeures, villages isolés, champs à perte de vue et vaches à gogo vous attendent – sans sortir d'Amsterdam. La zone est assez proche pour aller y passer l'après-midi ou la journée à vélo ; prenez une carte gratuite d'Amsterdam-Noord dans l'une des agences de la VVV (société touristique) à Centraal Station (p. 184).

Les amateurs de vieux sites industriels rejoindront d'abord le **NDSM-werf**, un chantier naval qui accueille aujourd'hui des ateliers d'art soutenus par la ville. On peut prendre un en-cas ou un café à l'élégante **IJ-kantine** au débarcadère du ferry ou bien au **Noorderlicht**, plus original, dans la zone du NDSM.

À voir aussi dans la partie urbaine du Noord, les jolies maisons et jardins qui bordent **Stoombootweg**, côté ouest, et, à l'est, **Nieuwendammerdijk**, belle enfilade de cottages aux airs de village. Derrière la digue se trouve **Nieuwendam**, une cité-jardin de l'école d'Amsterdam aux ruelles sinueuses.

Vers le nord, le long du **Noordhollandsch Kanaal**, vous passerez devant un moulin en activité et vous retrouverez bientôt en pleine campagne, dans un patchwork de champs séparés par des canaux. On apprécie le circuit à travers les villages de **Zunderdorp**, **Ransdorp**, **Holysloot** et **Broek in Waterland** (administrativement, ce dernier n'est plus dans Amsterdam, mais quelle importance ?), à seulement quelques kilomètres les uns des autres. Notez toutefois que depuis/vers Holysloot, il vous faudra faire traverser des champs à votre vélo et emprunter le plus petit ferry de la ville.

Prenez votre temps pour rentrer, le vent soufflant presque toujours contre vous quand vous roulez vers Amsterdam. Si vous calculez bien votre temps, vous pouvez terminer par un dîner à l'**Hotel de Goudfazant**, dans un espace industriel au bord de l'IJ et rejoindre Centraal Station par le ferry IJplein.

INFORMATION

Distance Au nord, de l'autre côté de l'IJ depuis Centraal Station ; Broek in Waterland, le village le plus éloigné mentionné ici, est à 9 km au nord

Depuis/vers Amsterdam-Noord Voir renseignements sur le ferry p. 180 ; ferry d'Holysloot (9h30-17h tlj juil-août, sam et dim seulement de mi-avr à mai et sept-oct)

Se restaurer IJ-kantine (☎ 633 71 62 ; www.ijkantine.nl ; MT Ondinaweg 15-17 ; 🕙 9h-tard) ; Noorderlicht (☎ 492 27 70 ; www.noorderlichtcafe.nl, en néerlandais ; TT Neveritaweg 33 ; 🕙 11h-tard) ; Hotel de Goudfazant (☎ 636 15 70 ; www. hotelgoudfazant.nl, en néerlandais ; Aambeeldstraat 10h ; 🕙 18h-1h mar-dim)

AMSTERDAMSE BOS

Le "bois" d'Amsterdam est un vaste espace vert d'environ 2 km sur 5, sillonné de sentiers de randonnée et de pistes cyclables. On en oublie parfois presque que la ville est si proche (jusqu'à ce qu'on entende le vrombissement d'un avion approchant de l'aéroport de Schiphol, à côté).

La zone fut créée dans les années 1930, dans le cadre d'un programme de stimulation de l'emploi, et elle a superbement évolué : des oiseaux rares nichent dans les prairies et des grenouilles coassent dans les mares. Un jardin botanique est à voir à **Vogeleiland** ("île de l'Oiseau"), les roseaux autour de l'**Amsterdamse Poel** recèlent des orchidées sauvages et l'on peut pêcher sur le lac (permis à demander au centre d'accueil des visiteurs).

Emmenez les enfants à **De Ridammerhoeve**, une adorable ferme de chèvres où ils pourront donner le biberon à des chevreaux. La cafétéria propose de délicieux smoothies et glaces au lait de chèvre, ainsi que des fromages fabriqués sur place. Dans une autre ferme réaménagée, **Boerderij Meerzicht** est une crêperie où les enfants sont les bienvenus.

Côté nord, près de l'entrée principale, le **Bosbaan** est un long lac propice au canotage. Vous pouvez vous asseoir dans un café et observer les rameurs, ou bien louer un canoë et vous balader dans les marais. Des vélos sont disponibles à l'entrée principale. Et les dimanches d'été, des trams d'époque circulent du musée du Tram d'Amsterdam jusqu'au sud du Bos.

INFORMATION

Distance 5,5 km au sud-ouest du centre d'Amsterdam
Depuis/vers Amsterdamse Bos (🚌) 170 ou 172 depuis Centraal Station ; tram depuis le musée du Tram d'Amsterdam (☎ 673 75 38 ; www.museumtram.nl ; Amstelveenseweg 264 ; 4/2 € ; (🕒) 11h-17h dim avr-oct ; (🚋) 16) ; à vélo en traversant le Vondelpark et vers le sud par Amstelveenseweg (environ 45 min)
Renseignements Centre d'accueil des visiteurs (☎ 545 61 00 ; www.amsterdamsebos.nl ; Bosbaanweg 5)
Tarifs Entrée libre ; vélos heure/journée 4,50/9 € ; canoës à partir de 6 €/heure
Horaires d'ouverture Centre d'accueil des visiteurs (🕒) 12h-17h, parc (🕒) 24h/24
Se restaurer De Ridammerhoeve (☎ 645 50 34 ; (🕒) 10h-17h mer-lun mars-oct, mer-dim nov-fév) ; Boerderij Meerzicht (☎ 679 27 44 ; Koenenkade 56 ; (🕒) 11h-19h mar-dim mars-oct, 10h-18h ven-dim nov-fév)

De l'extérieur, les demeures historiques au bord des canaux d'Amsterdam se ressemblent toutes. Mais à l'intérieur, c'est la surprise : il peut tout aussi bien s'y cacher un bœuf de jazz, une soirée gay, un restaurant romantique ou bien un hôtel génial. Ces zooms vous aideront à découvrir ce qui fleurit derrière leurs portes.

Un petit creux ? La solution : l'un des traditionnels stands de harengs

CUISINE

Peut-être est-ce dû à des siècles de commerce, ou à des plats traditionnels néerlandais très centrés sur le binôme viande/pommes de terre, mais les Amstellodamois adorent les cuisines du monde. Le plus modeste *eetcafé* (un café servant des repas simples) peut servir saté indonésien, couscous marocain ou curry indien – le tout accompagné de frites, évidemment. Vous pourrez tous les soirs dîner éthiopien, thaïlandais ou africain, mais c'est la cuisine indonésienne épicée qui est la plus prisée : la *rijsttafel* (table de riz), à plats multiples, est une création néerlandaise.

Les meilleurs restaurants d'Amsterdam s'inspirent de la cuisine française mais travaillent avec des produits locaux, du poisson de la mer du Nord à l'agneau de l'île du Texel. Résultat : une cuisine typiquement néerlandaise, telle la salade de pommes de terre à l'anguille fumée chez Greetje (p. 128), ou un morceau de gibier cuit à la perfection chez Marius (p. 78). Mais les Néerlandais ont beau railler leur cuisine, les tables traditionnelles ont beaucoup à offrir. Lorsque la météo fait grise mine, rien de tel qu'un steak chez Loetje (p. 101) ou un grand bol de soupe aux pois chez Moeders (p. 70).

Amsterdam se distingue par un grand nombre de restaurants ne proposant qu'un ou deux menus fixes par soir. Pliez-vous aux caprices du chef : gastronomie en provenance directe du jardin chez De Kas (p. 117), élégance cosmopolite à la Gare de l'Est (p. 137) ou convivialité chez Balthazar's Keuken

(p. 68). Les adresses ayant une carte plus étendue proposent elles aussi un ou deux menus à trois plats à prix fixe, souvent d'excellent rapport qualité/prix.

Pour dîner, il faut souvent un peu d'organisation. Hormis les *eetcafés*, presque tous les restaurants sont sur réservation, et pour la moindre adresse un peu recherchée, mieux vaut appeler au moins deux jours à l'avance. Il est même conseillé d'appeler systématiquement, ne serait-ce que quelques heures à l'avance. Sans compter qu'il n'y a le plus souvent qu'un service par soir. Les Amstellodamois dînent relativement tôt et, une fois à table, ils y restent une bonne partie de la soirée.

Le déjeuner est en revanche sans chichis. Les Néerlandais adorent leurs sandwichs au fromage et n'ont guère pris l'habitude d'un véritable repas. La ville ne manque pas de cafés charmants où prendre un en-cas, mais parmi les meilleures options figurent les humbles boutiques à *broodje* (sandwich) comme Van Dobben (p. 90) ou Dop (p. 48), pour un sandwich au beurre et aux fines tranches de viande.

Les végétariens ne sont pas en reste, avec au moins un plat sans viande à la carte dans à peu près tous les établissements. La ville compte aussi plusieurs excellents restaurants végétariens.

Un mot sur le service, source de consternation tant pour les Néerlandais que pour les visiteurs : votre serveur/euse risque d'être tête en l'air, grognon, voire négligent. Essayez de ne pas y penser et mettez cela sur le compte des différences culturelles : cela n'est jamais personnel. L'usage veut que vous demandiez l'addition quand vous souhaitez partir ; le personnel ne vous l'apportera jamais spontanément, sous peine d'avoir l'air de vous mettre dehors.

MEILLEURES DOUCEURS

> **Chocolat et gâteaux** Unlimited Delicious (p. 73)
> **Bonbons fantaisie** Papabubble (p. 67)
> **Glaces** IJscuypje (p. 110)
> **Stroopwafels** Lanskroon (p. 50)
> **Réglisse et délices** Het Oude-Hollandsche Snoepwinkeltje (p. 66)

MEILLEURS EN-CAS

> **Sandwich au rosbif** Van Dobben (p. 90)
> **Frites et mayonnaise belge** Vlaams Frites Huis (p. 53)
> **Loempias** Albert Cuypmarkt (p. 106)
> **Sandwich au hareng frais** Rob Wigboldus Vishandel (p. 51)
> **Vieux gouda** De Kaaskamer (p. 69)

En haut à gauche Goûtez à des pains du monde entier au Noordermarkt (p. 67) dans le Jordaan

ARCHITECTURE

Impossible de ne pas être fasciné par la beauté admirablement préservée d'Amsterdam : les canaux représentés sur des tableaux plusieurs fois centenaires n'ont guère changé. L'historien Geert Mak a décrit Amsterdam comme "une Cendrillon sous verre", épargnée par les ravages de la guerre et, pour une large partie, par ceux des promoteurs. Le centre-ville ne compte pas moins de 7 000 monuments historiques, plus de ponts que Venise et davantage d'arbres par habitant que Paris.

À première vue, les étroits édifices se ressemblent tous. Mais certains détails, comme les pignons (les décorations au niveau du toit), trahissent leur âge : le pignon simple, en pointe, est le plus ancien (fin du XVIe siècle), tandis que le XVIIe se caractérise par ses redents (pignons en escalier), le pignon en cloche dénotant le XVIIIe.

Des constructions plus récentes se sont glissées entre ces témoignages du Siècle d'or. La plupart de ces bâtisses (en brique également), du début du XXe siècle, illustrent le style dit de l'école d'Amsterdam (encadré, p. 106). Visitez de véritables chefs-d'œuvre, comme la Scheepvaarthuis (p. 125), et admirez les ponts sur les canaux, notamment sur Leidsestraat, ornés d'étranges animaux et de belles volutes en fer forgé. Même les urinoirs verts disséminés dans la ville sont l'œuvre de l'école d'Amsterdam.

Une intéressante architecture contemporaine est à voir dans les faubourgs d'Amsterdam. Commencez par vous faire une vue d'ensemble avec l'exposition d'urbanisme à la Zuiderkerk (p. 125), avant de quitter le dédale du centre médiéval pour rejoindre les vastes docks de l'Est (p. 132). Seul point commun entre ces deux quartiers, leurs canaux. Dans le port, le NEMO (p. 133), édifice en forme de navire bâti en 1997, est déjà un classique, tandis que l'OBA (Bibliothèque publique d'Amsterdam ; p. 136) revisite depuis 2007 le concept de bibliothèque. Le Muziekgebouw (p. 139) s'élance vers l'eau. Pour de nouvelles constructions plus innovantes encore, direction le quartier De Bijlmer (p. 142), où les conséquences de l'architecture sur la vie locale sont très palpables.

Quels que soient vos goûts architecturaux, l'ARCAM (p. 133), musée d'architecture d'Amsterdam, lui-même dans une étonnante structure, est incontournable. En bas, une excellente chronologie retrace l'histoire de la construction de la ville. Passionné, le personnel vous recommandera des quartiers à explorer et organise régulièrement des visites guidées.

ICÔNES ARCHITECTURALES

LES PLUS BEAUX INTÉRIEURS

Ci-dessus NEMO (p. 133), une icône de l'architecture contemporaine amstellodamoise sur les docks de l'Est

AVEC DES ENFANTS

Malgré sa réputation sulfureuse, Amsterdam est un paradis pour les enfants. Sa taille humaine, ses bâtisses pittoresques, sa circulation automobile inexistante et ses canaux en font une destination merveilleuse. Et les Néerlandais semblent inventer sans cesse de nouveaux moyens d'amuser les petits. Musée des Sciences interactif comme le NEMO (p. 133), spectacle gratuit de marionnettes sur la place du Dam (p. 41) ou visite pensée pour les petits de la Rembrandthuis ou de l'Ons' Lieve Heer Op Solder (p. 42), l'objectif est d'occuper intelligemment les chères têtes blondes afin de permettre aux parents de se détendre et (eux aussi) de s'amuser. La plupart des musées proposent une visite pour les enfants, et le Rijksmuseum (p. 98) est gratuit pour les moins de 18 ans.

Quand vous serez au NEMO (et vous irez, ne serait-ce que pour l'architecture de ce grand bidule étrange, ou pour sa terrasse sur le toit, idéale pour admirer le centre médiéval), n'oubliez pas de visiter le navire *Amsterdam* pour ses nombreux recoins et son équipage de pirates exubérants. Les ados ayant lu le *Journal d'Anne Frank* voudront sûrement visiter l'Anne Frank Huis (p. 62), mais si vous devez satisfaire tous les âges, le Tropenmuseum (p. 113) a des collections colorées et cosmopolites aptes à captiver petits et grands.

Les enfants ont parfois simplement besoin d'espace où batifoler. Direction le Vondelpark (p. 99), en particulier l'Het Groot Melkhuis, un café jouxtant une aire de jeux très fréquentée. À moins que vous ne préfériez une journée entière à l'Amsterdamse Bos (p. 145), avec son adorable ferme aux chèvres, où les enfants peuvent caresser et nourrir les bêtes.

Manger au restaurant peut être plus compliqué ; beaucoup d'adresses sont petites et calmes, voire romantiques. Mais tous les *eetcafés* conviennent parfaitement aux jeunes convives ; nous recommandons en particulier Loetje (p. 101), Bazar (p. 109) et Los Pilones (p. 70). Autre option à succès, la balade gratuite en ferry pour rejoindre l'IJ-kantine (enfants bienvenus) au NDSM-werf (p. 144). L'été, les petits se régaleront de *poffertjes* (minicrêpes au sucre en poudre) vendues sur des stands temporaires (stand sur le thème du cirque sur Leidseplein près de Stadhouderskade) ; l'hiver, ils préfèrent les *oliebollen* (sorte de beignets). Les enfants adorent aussi les crêpes néerlandaises : le minuscule Pannenkoekenhuis Upstairs (p. 51) a des airs de conte de fées, et Pancakes! (p. 70) une carte gargantuesque.

Les hôtels haut de gamme ont des services de baby-sitting. Pour trouver vous-même quelqu'un, contactez **Oppascentrale Kriterion** (carte p. 122-123, D6 ; ☎ 624 58 48 ; www.kriterionoppas.org ; Roetersstraat 170) ; il vous faudra vous enregistrer à l'avance et débourser de modiques frais d'adhésion.

AU BONHEUR DES ENFANTS

> Patin à glace sur Museumplein (p. 96)
> Bateau sur les canaux (p. 182)
> Ferry sur l'IJ (p. 180)
> Miam, des crêpes (p. 70)
> TunFun (p. 131)

MEILLEURES VISITES EN FAMILLE

> Amsterdamse Bos (p. 145)
> Zoo Artis (p. 121)
> NEMO (p. 133)
> Tropenmuseum (p. 113)
> Vondelpark (p. 99)

En haut à gauche Petite fille en promenade à bord de son confortable *Bakfiets* (véloporteur ; p. 107)

SHOPPING

Amsterdam regorge de boutiques spécialisées qui semblent ignorer la loi de l'offre et de la demande. Si les échoppes remplies de boutons, de perles ou de nœuds papillons ne vous intéressent pas, sachez qu'il arrivera un moment où, en tournant dans une rue, vous verrez la boutique spécialisée dont vous avez toujours rêvé (consciemment ou pas).

Chaque quartier a son propre visage commerçant. Dans le Centrum, la longue artère formée par Kalverstraat et Nieuwendijk (carte p. 38-39, B8-D3) a un nombre incalculable de boutiques H&M, ainsi que de vastes librairies, sur le Spui. À De Wallen, les vitrines des sex-shops sont pour le moins osées. Mais là où faiblissent les lumières rouges, le Zeedijk (carte p. 38-39, E4) aligne de charmantes boutiques alternant avec des bars établis de longue date et des épiceries chinoises, tandis que Oude Hoogstraat et Nieuwe Hoogstraat (carte p. 38-39, D6-E6) offrent une autre enfilade de commerces éclectiques.

Sur la ceinture des canaux ouest, les Negen Straatjes (p. 14) sont l'épicentre d'adresses insolites, mais ne faites pas exploser votre budget avant d'avoir flâné dans les petites rues alentour et à Jordaan. Le Jordaan est connu pour ses objets vintage (ce qui ne veut pas nécessairement dire bon marché). Des siècles d'intelligence commerciale ont fait la grandeur d'Amsterdam, attendez-vous donc à ce que le vendeur connaisse le prix de son morceau de bakélite.

Moins de poussière et des articles plus précieux dans le Spiegelkwartier, quartier des antiquaires sur Spiegelgracht et Nieuwe Spiegelstraat dans la ceinture des canaux sud (carte p. 82-83, C4) : si vous cherchez un magnifique petit bibelot XVIIIe à poser sur la cheminée de votre maison de campagne, cela doit être votre première destination.

La rue des commerces de luxe est aujourd'hui Pieter Cornelisz Hooftstraat (carte p. 97, E2), alignant Dolce & Gabbana et autres enseignes prestigieuses. Même si vous ne cherchez pas un sac Vuitton, l'endroit vaut pour son intérêt sociologique : la consommation tapageuse est vue d'un mauvais œil à Amsterdam, et ces quelques rues sont les seules où on semble lui laisser libre cours. Dans le vieux sud de la ville, la clientèle élégante fréquente aussi la jolie Cornelis Schuytstraat (carte p. 97, D3), près du Vondelpark.

Quand vous trouvez votre bonheur, préparez vos billets et votre monnaie : un nombre étonnant d'établissements n'acceptent pas la carte bancaire.

MEILLEURS ARTICLES POUR LA MAISON
> Droog (p. 126)
> Frozen Fountain (p. 65)
> & Klevering (p. 64)
> Wonderwood (p. 47)
> HEMA (p. 45)

À LA POINTE DE LA MODE
> Van Ravenstein (p. 68)
> Young Designers United (p. 86)
> Marlies Dekkers (p. 100)
> Hester van Eeghen (p. 65)
> Sprmrkt (p. 68)

À OFFRIR
> **T-shirt** Your Cup of T (p. 68)
> **Chocolats** Unlimited Delicious (p. 73)
> **Sabots en feutre** Shirdak (p. 67)
> **Housse pour selle de vélo** Kitsch Kitchen (p. 66)
> **Sucrier** De Emaillekeizer (p. 108)

ANTIQUITÉS ET VINTAGE
> Waterloopleinmarkt (p. 127)
> Laura Dols (p. 67)
> De Looier (p. 65)
> Bebob Design (p. 85)
> Brilmuseum (p. 64)

En haut à gauche et ci-dessus Sur les marchés d'Amsterdam, on trouve tout ce que l'on veut : vêtements, bijoux, alimentation, etc.

COMMUNAUTÉ GAY

Dire qu'Amsterdam est une capitale gay ne suffit pas à rendre compte de la chaleur et de l'ouverture d'esprit de cette ville. C'est tout de même elle qui donna au monde le magazine *Butt*. C'est ici aussi qu'aurait été créé le premier bar gay et lesbien au monde, 't Mandje (p. 56), étape incontournable de toute sortie sur Zeedijk. Amsterdam accueille aussi l'une des plus grandes et des plus flamboyantes Gay Pride qui soit, et sans aucun doute la seule à défiler sur des bateaux (p. 24).

La scène gay amstellodamoise est hétéroclite, Warmoesstraat étant sans doute l'artère la plus connue pour ses nombreux bars SM et backrooms. Reguliersdwarsstraat en est l'exact opposé, tout en baisers lancés au vol et T-shirts moulants – sans pour autant qu'on s'y ennuie. La communauté lesbienne est moins visible mais compte plusieurs très bons bars – Vivelavie (p. 91) est probablement le plus sexy. La jeune génération gay et lesbienne est plus mixte : en témoignent le très ouvert Getto (p. 54), à De Wallen, ou la fête dominicale organisée par des bénévoles à **De Trut** (Bilderdijkstraat 165e ; 3 € ; 🕑 23h-4h dim) – arrivez tôt et attendez-vous à devoir prouver que vous êtes une *pot* (gouine) ou un *flikker* (homo).

Pour plus d'informations (et bien plus d'adresses que ce guide ne pouvait en couvrir), rendez-vous au **Pink Point** (carte p. 60-61, D5 ; 🕑 12h-18h mars-août, horaires restreints sept-fév), sur Keizersgracht, derrière la Westerkerk. Mi-kiosque d'information, mi-boutique de souvenirs, c'est l'adresse idéale pour se renseigner sur les soirées et les associations, et trouver un exemplaire du très candide *Bent Guide*.

MUSÉES

En cours de rénovation, le Rijksmuseum (p. 98) ne donne à voir qu'une partie de ses trésors, en particulier des Rembrandt, mais prenez votre mal en patience : vous aurez ainsi plus de temps pour visiter d'autres merveilleux musées d'Amsterdam, comme la superbe collection du musée Van Gogh (p. 98), ou celle du musée de la Marijuana (p. 42), voire du musée du Sexe (p. 43).

Au bord des canaux, de majestueuses demeures abritent d'étonnantes collections, tel le Bijbels Museum (p. 62), où on peut voir une maquette sculptée de l'Arche d'Alliance et d'autres curiosités du XIXe siècle, ou le Tassenmuseum Hendrikje (p. 85), temple dédié aux sacs à main. Dans une maison plus petite se trouve l'Ons' Lieve Heer op Solder (p. 42), une église catholique cachée aux étages supérieurs ; dans l'opulent et chaleureux Museum Van Loon (p. 84), il semble que les habitants viennent tout juste de quitter leur résidence.

Mais visiter des musées ne veut pas dire déambuler dans de vastes salles poussiéreuses pleines de vieux objets. L'Amsterdams Historisch Museum (p. 40) et le Verzetsmuseum (p. 125), consacré à la Résistance pendant la Seconde Guerre mondiale, font tous deux un usage judicieux du son et de la vidéo. Dans l'immense Tropenmuseum (p. 113), visite fascinante des anciennes colonies néerlandaises et autres contrées exotiques, vous pourrez faire retentir de la pop égyptienne et admirer des danses africaines. À la Rembrandthuis (p. 125) ont lieu des démonstrations d'artisanat et de gravure, tandis qu'à bord de l'*Amsterdam*, amarré près du NEMO (p. 133), des marins dépenaillés entonnent des chants. Ce navire appartient en fait au Scheepvaartmuseum (p. 133), un musée fermé jusqu'à la fin de 2010. Comment ne pas avoir le souffle coupé face à de telles richesses ?

Le Stedelijk Museum (p. 98), au centre du quartier des musées

GEZELLIGHEID

Cette qualité intrinsèquement néerlandaise est l'une des meilleures raisons d'aller à Amsterdam. L'adjectif peut être traduit par cordial, confortable, jovial, sociable, douillet ou convivial, mais on ne peut vraiment comprendre la *gezelligheid* (ce qui est *gezellig*) qu'en la vivant : sorte d'instant hors du temps, plaisir d'être ici et maintenant, oubli de tous les soucis – du moins jusqu'au lendemain.

Vous ressentirez sans doute cette sensation douce et diffuse dans de nombreuses situations, mais la découvrirez plus facilement dans un *bruin café*. Ces "cafés bruns" traditionnels, tout en boiseries et murs roussis par des siècles de fumée, sont pour ainsi dire des réservoirs à *gezelligheid* – et à bière, cela va sans dire (d'ailleurs, si les verres à bière sont si petits ici, c'est parce que c'est plus *gezellig*). Autour d'une table de lecture jonchée de journaux, quelques habitués boivent un café ou entament des discussions sur l'actualité. Si le chat du patron passe et demande des caresses, c'est encore mieux. Le soir, sous les lumières dorées, la bière coule à flots. Les *bruin cafés* les plus traditionnels ne passent pas de musique et encouragent leurs clients à jeter leurs coquilles de cacahuètes par terre.

On trouve aussi une ambiance *gezellig* dans des cafés plus aérés bénéficiant d'une jolie vue et dans la majeure partie des restaurants après le dîner, où vous êtes invité à vous détendre et à bavarder (c'est le *natafelen*, "après la table", en néerlandais) à la lumière des bougies (il y en a presque toujours).

Il serait un peu arbitraire de dresser la liste des adresses les plus *gezellig*, mais vous trouverez ci-dessous quelques lieux où vous êtes sûr de trouver de la *gezelligheid*.

BARS
GEZELLIG
> De Zotte (p. 74)
> Heuvel (p. 91)
> 't Mandje (p. 56)
> 't Smalle (p. 76)
> Welling (p. 102)

CAFÉS ET RESTAURANTS
GEZELLIG
> De Jaren (p. 47)
> Festina Lente (p. 70)
> Kapitein Zeppo's (p. 50)
> Latei (p. 55)
> Van Kerkwijk (p. 52)

DROGUES DOUCES

Le commerce appliqué aux drogues douces à Amsterdam est très surprenant. Les *coffee shops* vendent des joints dans des boîtes en plastique et proposent des "menus" étonnamment détaillés. Les "smartshops", elles, proposent psychotropes bio et hallucinogènes naturels dans des vitrines réfrigérées !

Le *coffee shop* de Greenhouse (p. 111) est orné de belles mosaïques. L'accueillant Abraxas (p. 53) est apprécié des novices, la déco minimaliste de Kadinsky (p. 55) plaît aux fumeurs non hippies, La Tertulia est une adresse très agréable (p. 75) et Rokerij (p. 91), un régal pour les yeux. Les *coffee shops* des zones résidentielles ressemblent souvent à de petits bars de quartier.

Vous n'êtes pas obligé d'acheter de l'herbe pour prendre place dans un *coffee shop*, les bonnes adresses proposent des repas et des jus de fruits frais. Vous trouverez également à disposition pipes, bangs et vaporisateurs.

L'usage exige que l'on fume du cannabis uniquement dans les *coffee shops* ainsi que dans certains bars (plus rares qu'on ne le pense). Mais depuis l'interdiction de la cigarette dans les lieux publics en 2008, les amateurs du mélange tabac/THC (cannabis) doivent trouver un coin isolé dans un parc (pour plus de détails sur l'interdiction de fumer, voir l'encadré p. 55).

La marijuana est forte aux Pays-Bas. Attention aussi aux champignons magiques, des touristes en ayant trop consommé poussent la ville à envisager leur interdiction. Les *coffee shops* n'ont pas le droit de vendre des drogues dures, de faire de la publicité ou encore de vendre du haschich à des mineurs. Il est absolument interdit de ramener graines, feuilles ou résine de cannabis dans la plupart des pays, dont la France, la Belgique et la Suisse.

Lonely Planet déconseille à ses lecteurs l'usage de drogues, même les plus "douces", qui modifient le comportement. Par ailleurs, le mélange alcool/cannabis est à proscrire. Sachez enfin que l'ecstasy, ou d'autres drogues de synthèse, peuvent provoquer des dégâts irréversibles.

L'herbe est toujours plus verte à Amsterdam

PRENDRE UN VERRE ET SORTIR

Malgré sa réputation de ville permissive, Amsterdam ne vit pas toute la nuit ; d'excellentes adresses comme Brouwerij 't IJ (p. 129) ou Wijnand Fockink (p. 56) ferment d'ailleurs dès le coucher du soleil. Ce qui ne veut pas dire que les Amstellodamois ne savent pas s'amuser.

Ils commencent leurs soirées dans des bars très différents les uns des autres : cafés bruns *gezellig* (p. 158), lounges chics où mixent des DJ (les cocktails sont toutefois une denrée rare) ou adresses spécialisées dans les bières belges. Rendez-vous dans les paisibles *proeflokalen* (maisons de dégustation) pour du *jenever* (genièvre) et autres alcools aromatisés souvent distillés sur place et servis dans des flûtes remplies à ras-bord.

Les clubs sont ici à l'honneur – les Pays-Bas ont tout de même vu naître DJ Tiësto et la gabber. Amsterdam accueille en permanence des têtes d'affiche internationales, et de longues fêtes comme 5 Days Off (p. 23) et Amsterdam Dance Event (p. 25). Dans les nombreux clubs de la ville, la musique prime sur tout le reste, barrières et salons VIP étant assez rares. Vous trouverez des prospectus et des billets en prévente dans les boutiques de disques.

Autre atout d'Amsterdam, ses nombreuses salles artistiques à vocations multiples. Dans des établissements comme le Melkweg (p. 93), le Studio K (p. 118) et De Badcuyp (p. 111), on peut manger, voir un film, écouter un concert, voire admirer des œuvres d'art. Et dès la fin du concert, l'endroit se transforme en discothèque. Option originale, les squats (pour beaucoup légalisés aujourd'hui) comme le OT301 (p. 103) et Zaal 100 (p. 75) ont une programmation plus éclectique encore.

LES MEILLEURS BARS POUR...

> **la vue** Canvas op de 7e (p. 118)
> **une clientèle éclectique** Het Schuim (p. 54)
> **une bière belge** De Zotte (p. 74)
> **une bière pas cher** Vrankrijk (p. 56)
> **du jenever** Wijnand Fockink (p. 56)

MEILLEURES DISCOTHÈQUES

> Club 8 (p. 75)
> Escape (p. 92)
> Paradiso (p. 94)
> Studio K (p. 118)
> Sugar Factory (p. 95)

MULTICULTURALISME

Non, Amsterdam n'est pas une ville composée exclusivement de blonds mesurant 1,80 m ! Avec près de la moitié de ses habitants originaires de pays étrangers, elle affiche une diversité étonnante. Les Amstellodamois venus des anciennes colonies néerlandaises – Indonésie et Surinam en tête –, forment la plus importante minorité, aux côtés d'une forte population turque et marocaine, aujourd'hui composée pour beaucoup d'immigrés de deuxième génération. Les quelque 170 autres nationalités recensées représentent toute la planète.

Amsterdam a son lot de problèmes raciaux et culturels (qui ont fait les gros titres en 2004 après l'assassinat du réalisateur Theo Van Gogh par un jeune Néerlandais d'origine marocaine), mais l'intégration y est remarquable, comparé à d'autres grandes villes européennes. Les immigrés ne sont pas relégués dans des banlieues (en flânant dans De Pijp, on peut entendre parler plusieurs langues différentes) et les films comiques comme *Shouf Shouf Habibi* (p. 171) remplissent les salles. Le multiculturalisme d'Amsterdam est une source de fierté, et depuis le meurtre de Van Gogh, nombre d'Amstellodamois raillent les hommes politiques nationalistes, comme le parlementaire Geert Wilders, qui avait assimilé le Coran à *Mein Kampf*.

Les Amstellodamois sont toujours prêts à sympathiser autour de leurs marchés : l'Albert Cuypmarkt (p. 106) et le Dappermarkt (p. 113), très bigarrés, sont de fantastiques endroits pour le constater. Pour une visite plus approfondie de l'histoire de l'immigration à Amsterdam, direction le Bijlmer (p. 142), un quartier au riche passé. Rendez-vous aussi dans des salles multiculturelles comme De Badcuyp (p. 111) ou Podium Mozaïek (voir l'encadré p. 75) pour entendre le son de l'Amsterdam de demain.

MUSIQUE

Amsterdam produit des passionnés de musique. À l'image des boutiques ultraspécialisées, presque tous les genres jouissent d'une scène bouillonnante : contentez-vous de traîner dans votre rayon favori chez Concerto (p. 85) et vous ne tarderez pas à échanger des infos avec d'autres fans. La musique improvisée d'avant-garde est ici à l'honneur dans de petites salles comme Zaal 100 (encadré, p. 75) et dans des grandes comme Bimhuis (p. 139), nouvelle et élégante adresse sur l'IJ qui conserve l'esprit d'un vieux club déjanté.

Si ces sons ne vous parlent guère, direction un club de jazz plus traditionnel. Dans la ville où mourut Chet Baker, il y a des concerts tous les soirs. Parmi les piliers figurent le Jazz Café Alto (p. 93), où le saxophoniste fusion Hans Dulfer joue tous les mercredis, et De Engelbewaarder (p. 130), pour sa session dominicale, véritable institution. Des artistes de passage jouent souvent au Bimhuis.

Les amateurs de classique ne sont pas en reste, entre le parfait Concertgebouw (p. 102) et le spectaculaire Muziekgebouw aan 't IJ. Les concerts à l'heure du déjeuner et performances d'étudiants au Conservatorium van Amsterdam (p. 139) sont souvent gratuits.

Amsterdam adore aussi la dance, avec des DJ qui rivalisent de talent – consultez la rubrique *Prendre un verre et sortir* (p. 160) pour nos adresses de clubs. Le rock néerlandais n'est guère connu au-delà de feu Herman Brood, disparu brutalement, mais les vedettes en tournée jouent souvent dans de petites salles comme Melkweg (p. 93) et Paradiso (p. 94). Si l'une de vos idoles est là, offrez-vous ce grand plaisir.

Animation musicale à l'intention de la foule qui flâne sur le Noordermarket (p. 67)

L'architecture traditionnelle côtoie l'architecture contemporaine le long du Rokin

HIER ET AUJOURD'HUI
HISTOIRE
IL ÉTAIT UNE FOIS…

La région qui allait devenir une plaque tournante du commerce international était à ses débuts une terre inhospitalière de lacs, de marais et de tourbe. Les plus anciens vestiges archéologiques trouvés à Amsterdam datent de l'époque romaine, mais c'est seulement vers 1200 que s'établit un village de pêcheurs (Aemstelredamme – "la digue sur l'Amstel") à l'emplacement de l'actuelle place du Dam (p. 41). Le 27 octobre 1275, le comte de Hollande ("Hollande" désignant le territoire environnant) renonça à réclamer l'impôt sur les portes et ponts à ceux qui vivaient autour de la digue. Ainsi naquit la ville d'Amsterdam.

LES DÉBUTS DU COMMERCE

Si les premiers habitants se consacraient essentiellement à la pêche, c'est le commerce – notamment de la bière, une denrée fort commode à une époque où l'eau était impropre à la consommation – qui fit bientôt connaître la Hollande. Amsterdam partit à la conquête de la mer du Nord et de la mer Baltique, ses *vrijbuiters* (flibustiers) emmenant des cargaisons de tissu et de sel à échanger contre des céréales et du bois d'œuvre, afin de lézarder l'hégémonie de la Hanse teutonique sur les routes marchandes. Dès la fin des années 1400, près de deux tiers des navires de la mer Baltique venaient de Hollande, la plupart étant basés à Amsterdam. Le port d'origine, installé sur le Damrak et le Rokin, fut étendu au nord jusqu'à l'IJ, près de l'actuelle Centraal Station. On creusa des canaux jusqu'aux entrepôts dans ce qui est aujourd'hui le centre médiéval. Non soumise à des impôts élevés et à des structures féodales médiévales, Amsterdam vit naître une société individualiste et capitaliste.

LA RÉPUBLIQUE INDÉPENDANTE

La Réforme du XVᵉ siècle diffusa une doctrine qu'adopta le théologien français Jean Calvin. Sévère et austère, le calvinisme joua un rôle clé dans la lutte des Pays-Bas (ainsi désignait-on la Belgique, le Luxembourg et la Hollande) contre le règne décadent du roi catholique Philipe II d'Espagne et l'Inquisition. En 1578, les calvinistes s'emparèrent d'Amsterdam et déclarèrent l'indépendance des provinces septentrionales, pour former la république indépendante des Sept Provinces-Unies, dont la Hollande (et Amsterdam) étaient le cœur. La prise de pouvoir calviniste reçut le nom d'"Altération", et le négoce continua de prospérer.

LE SIÈCLE D'OR

À la fin du XVIe siècle, lorsque les Espagnols reprirent la ville rivale d'Anvers (aujourd'hui en Belgique), marchands, marins et artisans affluèrent à Amsterdam, où apparut une société opulente, à la fois commerçante et intellectuelle. Le premier journal à parution régulière y fut imprimé en 1618. Les juifs persécutés au Portugal et en Espagne, vinrent également s'y réfugier : forts de leurs connaissances des routes commerciales, ils introduisirent le commerce du diamant et firent de la ville un centre du tabac. Fondée en 1602, la Vereenigde Oost-Indische Compagnie (VOC, Compagnie néerlandaise des Indes orientales) prit la route des épices aux Portugais et s'empara des îles appelées plus tard Indonésie. Dès la fin du XVIIe siècle, la VOC était la plus riche entreprise au monde, comptant plus de 50 000 employés et une armée.

Entre-temps, la ville croissait aussi, la population quadruplant en un siècle pour atteindre les 220 000 habitants en 1700. Amsterdam devint le berceau des plus grands chantiers navals d'Europe, et, les taxes restant faibles, les investissements arrivèrent en masse. Moins lucrative, la Compagnie des Indes occidentales créa des plantations en Amérique du Sud ainsi qu'un comptoir en Amérique du Nord (Nouvelle-Amsterdam). À la suite d'un accord passé avec les Britanniques en 1651, les Hollandais décidèrent de garder la Guyane (qui devint plus tard le Surinam) et d'abandonner la Nouvelle-Amsterdam, que les Britanniques rebaptisèrent New York. Deux décennies plus tard, Louis XIV envahit les Pays-Bas, mettant fin au court Siècle d'or hollandais.

REVERS DE FORTUNE

À la fin du XVIIe siècle, les marchands hollandais délaissèrent les audacieux périples maritimes au profit d'investissements plus sûrs, avec pour résultat un déclin du commerce qui engendra la pauvreté. Des hivers exceptionnellement froids, notamment en 1740 et 1763, immobilisèrent les bateaux dans le fleuve, ce qui entraîna de graves ruptures d'approvisionnement en nourriture. La puissante VOC fit faillite en 1800, peu de temps après l'invasion de la République néerlandaise par les forces révolutionnaires françaises. En 1806, elle devint une monarchie. Presque aussitôt, le frère de Napoléon Bonaparte, Louis, occupa l'hôtel de ville sur le Dam et proclama : "Ik ben u konijn !" ("Je suis votre lapin !") – il avait voulu dire *koning* (roi). Napoléon le destitua rapidement et annexa la région à l'Empire français. L'industrie marchande et la pêche s'éteignirent, et la ville se transforma en bourgade léthargique. Napoléon fut vaincu en 1813, ce qui permit à la maison d'Orange-Nassau de fonder le Royaume-Uni des Pays-Bas. Mais Amsterdam mit du temps à se relever, les Britanniques ayant depuis longtemps assis leur domination sur les mers.

CROISSANCE ET DÉPRESSION

En 1839, l'ouverture de la première ligne de chemin de fer hollandaise sortit Amsterdam de sa torpeur. De grands projets, comme l'expansion du port, permirent à la ville de profiter de la révolution industrielle. Comme elle recommençait à attirer des immigrants, les spéculateurs s'empressèrent de faire construire des logements. En 1889, on édifia Centraal Station à un emplacement symbolique sur l'IJ, pour marquer les liens historiques de la ville avec la mer. Les Pays-Bas adoptèrent la neutralité durant la Première Guerre mondiale, mais le commerce avec les Antilles souffrit des blocus maritimes. Le manque de nourriture suscita des émeutes et une tentative de révolution socialiste, à laquelle les troupes loyalistes mirent un terme.

Après la guerre, les Pays-Bas s'attachèrent à reconstruire leurs bases industrielles, et connurent un rapide succès. La NDSM (les chantiers navals néerlandais) d'Amsterdam gérait le deuxième port de construction navale du monde. KLM (compagnie royale d'aviation) lança la toute première ligne régulière en 1920 entre Amsterdam et Londres, depuis un aérodrome au sud de la ville, et acheta nombre de ses avions à l'usine, située au nord de l'IJ, du pionnier de l'aviation, Anthony Fokker. Il existait alors deux immenses brasseries, une industrie du vêtement de taille respectable et même une usine de voitures. La ville accueillit les Jeux olympiques de 1928. Mais la dépression des années 1930 frappa durement Amsterdam. Les grands projets porteurs ne réussirent pas à désamorcer les tensions croissantes entre socialistes, communistes et le parti fasciste, de taille restreinte mais qui savait se faire entendre.

LA SECONDE GUERRE MONDIALE

Lorsque l'Allemagne envahit les Pays-Bas, en mai 1940, Amsterdam subit son premier conflit en près de quatre siècles. En février 1941, les dockers se mirent en grève pour protester contre le sort des juifs. Mais il était déjà trop tard. Sur les 90 000 juifs de la ville, seuls 5 000 survécurent à la guerre – la plus faible proportion d'Europe occidentale. Les troupes canadiennes libérèrent Amsterdam en mai 1945. Des milliers de gens étaient morts de faim et de froid peu avant, au cours de l'"Hiver de la faim".

L'APRÈS-GUERRE

Peu de temps après la guerre, l'Indonésie redevint indépendante. L'aide américaine et la découverte de gisements de gaz naturel aidèrent à compenser les pertes financières subies pendant la guerre, et remirent Amsterdam sur le chemin de la croissance. On construisit des immeubles massifs pour faire face à la demande ininterrompue de logements. Dès les années 1960, ils échurent le plus souvent aux "travailleurs invités" venus du Maroc et de Turquie, qui exerçaient dans les secteurs industriels.

À la fin des années 1960, Amsterdam devint le repaire hippie d'Europe : ceux-ci fumaient de l'herbe sur le Dam, campaient à Vondelpark et s'amusaient dans des discothèques comme le Melkweg, une ancienne laiterie abandonnée. En 1972, le premier *coffee shop* ouvrit ses portes et en 1976, on légalisa la marijuana afin que la police puisse concentrer sa lutte sur les drogues dures. Avec l'envol des prix de l'immobilier, des squatteurs commencèrent à occuper les bâtiments laissés vacants par les spéculateurs, ce qui permit de préserver plusieurs édifices historiques remarquables de la démolition. La protection des bâtiments historiques devint une préoccupation majeure au début des années 1980. Les projets de construction d'une ligne de métro et d'un hôtel de ville dans l'ancien quartier juif jetèrent des milliers de manifestants dans les rues.

AMSTERDAM AUJOURD'HUI

Depuis les années 1990, les squatteurs se font plus discrets. L'économie est dominée par les cols blancs et une industrie de services florissante, tandis que la ville s'embourgeoise de plus en plus. Son visage ethnique a également changé : sa population se compose à plus de 45% de nationalités diverses. Dans les premières années du XXIe siècle, des querelles concernant la politique d'immigration des Pays-Bas ont éclaté.

En 2002, Pim Fortuyn, candidat de droite aux législatives, sidéra le pays en déclarant que celui-ci était "plein". Il mourut assassiné par arme à feu avant les élections. Son assassin n'était pas l'un des musulmans qu'il condamnait pour homophobie, mais un défenseur des droits des animaux rendu furieux par ses déclarations sur les élevages de visons.

À l'automne 2004, le cinéaste Theo Van Gogh (arrière-petit-fils de Théodore Van Gogh, frère du peintre Vincent Van Gogh), connu pour son franc-parler et ses opinions anti-islamiques, fut assassiné dans une rue d'Amsterdam. Le meurtrier, un jeune musulman, était né et avait grandi aux Pays-Bas. La municipalité se hâta de lancer une campagne pour l'unité et le multiculturalisme intitulée "Nous, les Amstellodamois", qui semble faire ses preuves.

Après une période un peu morose, les habitants concentrent désormais leur attention sur une nouvelle ligne de métro, la construction de vastes îles artificielles et d'autres grands projets d'urbanisme.

VIVRE À AMSTERDAM

On encense souvent Amsterdam pour sa tolérance et son ouverture d'esprit. Drogues douces, sexe, comportements excentriques ne suscitent que sourire ou haussement d'épaules. Une attitude blasée, sans doute acquise au fil des siècles, durant lesquels ce port marchand a vu défiler le monde entier ou presque. En fait, beaucoup de *mokums* (terme argotique désignant les gens nés à Amsterdam, qui vient du nom yiddish de la ville, Groot Mokum) ne sont pas simplement tolérants mais très fiers du quartier Rouge, et du mélange non dissimulé du sexe et du commerce qu'il représente. Le mariage homosexuel (légalisé en 2001) et l'aide médicale au suicide (euthanasie autorisée depuis 1993) font l'objet du même type d'approche. Les vieux penchants calvinistes se manifestent seulement par la désapprobation de comportements trop ostentatoires. "Agis normalement, c'est déjà bien assez fou comme ça" est un dicton couramment employé.

Certains touristes en concluent qu'Amsterdam est le théâtre d'une orgie perpétuelle de drogues. Rien de plus faux. En revanche, on consomme sans modération du *koffie verkeerd* (café crème), si possible entre amis sur une terrasse ensoleillée. De fait, l'Amstellodamois "classique" ne met jamais les pieds dans les *coffee shops*, et s'il a goûté à la marijuana, c'était sûrement pendant ses vacances en Australie. Quant au quartier Rouge, la municipalité estime que seuls 5% des clients sont néerlandais.

De même, les Néerlandais se soucient peu de l'impression qu'ils font sur autrui. Ils s'habillent de façon décontractée et confortable (c'est d'autant plus pratique pour faire du vélo), n'hésitent pas à jouer des coudes pour remonter la file d'attente et sont très directs dans leurs propos, quitte à se montrer parfois brusques.

La célèbre tolérance néerlandaise a aussi le revers de sa médaille. Tolérer est très différent d'accepter, disent les jeunes d'origine marocaine ou turque. Bien qu'étant nés aux Pays-Bas, pour certains Néerlandais de souche, ils sont encore des *allochtonen* (allochtones). À la suite d'un débat politique qui, de manière inhabituelle, sème la discorde, il semble que les Pays-Bas soient de plus en plus conservateurs, préfèrent un gouvernement de coalition chrétien et veulent restreindre l'immigration. Mais Amsterdam, qui compte près de 750 000 habitants, reste fermement ancrée à gauche et se préoccupe des besoins de ses citoyens, dont 28% sont des immigrés de la seconde génération. Une caractéristique qui fait la fierté des Amstellodamois.

QUELQUES IDÉES DE LECTURE

Ouvrage d'histoire de la ville le plus accessible et amusant, *Une petite histoire d'Amsterdam,* de Geert Mak, combine le récit historique à des anecdotes sur les personnages les plus fascinants qui ont marqué la cité au fil des siècles. Journaliste et historien, Mak n'a pas peur des vérités qui dérangent, qu'il s'agisse du commerce, de la guerre, de la religion ou du gouvernement. Autre excellent ouvrage, *L'Embarras de richesses,* de l'historien britannique Simon Schama, traite de la culture hollandaise à l'époque du Siècle d'or. Schama relie la culture calviniste à la société néerlandaise contemporaine, et a souvent recours à la critique d'art – on apprend beaucoup sur les tableaux représentant des petits déjeuners ! *On a tué Theo Van Gogh : Enquête sur la fin de l'Europe des Lumières,* de Ian Buruma, est une approche très personnelle des débats sur l'immigration et la mort de Theo Van Gogh, que Buruma connaissait bien.

Harry Mulisch est considéré comme l'un des grands romanciers néerlandais contemporains. Dans *L'Attentat (De Aanslag),* il établit des liens entre la Seconde Guerre mondiale et la peur du nucléaire à l'époque de la guerre froide. Autre romancier majeur, Gerard Reve, né à Amsterdam, célébrait la sexualité gay d'un ton très caustique tout en désacralisant les symboles religieux. Parmi ses œuvres traduites, citons *Les Soirs, Mère et fils, Parents soucieux* et *Le Quatrième Homme (De Vierde Man ;* 1983), adapté au cinéma par Paul Verhoeven.

CINÉMA

Ces films offrent un aperçu de la société néerlandaise et donnent à voir de belles images d'Amsterdam.

L'Attentat (De Aanslag) 1986 ; Fons Rademakers). Un médecin cherche à savoir pourquoi les voisins ont trahi sa famille pendant la Seconde Guerre mondiale. Film adapté du best-seller d'Harry Mulisch (ci-dessus) et nommé pour un Academy Award.

Interview (2003 ; Theo Van Gogh). L'un des films les moins polémiques de Van Gogh ; un correspondant de guerre interviewe une actrice de feuilleton (remake américain sorti en 2007).

Shouf Shouf Habibi (2004 ; Albert ter Heerdt). Comédie mettant en scène une famille marocaine cherchant sa place dans la société néerlandaise, et traitant sans parti pris de l'intégration.

Simon (2004 ; Eddy Terstall). Naissance d'une amitié après qu'un homosexuel a été renversé par un dealer hétéro en voiture. Le film traite avec humour de la drogue, des homosexuels et de l'euthanasie.

Zus & So (2001 ; Paula Van der Oest). Trois sœurs complotent pour saboter la relation amoureuse de leur frère homosexuel et gagner beaucoup d'argent. Nommé aux Oscars.

Zwartboek (Black Book ; 2006 ; Paul Verhoeven). Film d'action traitant des aspects les moins héroïques de la Résistance néerlandaise pendant la Seconde Guerre mondiale. Plus grande réussite commerciale de l'histoire du cinéma hollandais, ce film a lancé la carrière de l'actrice Carice Van Houten.

HÉBERGEMENT

Amsterdam est une ville si ramassée que l'emplacement de votre hôtel n'est pas crucial : tout est toujours relativement accessible et en matière d'hébergement comme en bien d'autres domaines, la ville est éclectique. Mais on peut préférer tel ou tel quartier. La ceinture des canaux (n'importe où sur Herengracht, Keizersgracht, Prinsengracht ou Singel) est le plus recherché, tant pour son charme que son calme. Jordaan est un secteur charmant, mais les hôtels sont rares. Ces quartiers ne manquant pas de restaurants et cafés, vous pourrez rentrer sans encombre après un dîner copieux.

À moins que vous ne pensiez pas vraiment dormir, nous vous déconseillons De Wallen (le quartier Rouge) et le Damrak, où les hôtels sont corrects en apparence, mais souvent décevants à l'intérieur. Mieux vaut s'éloigner un peu, vers la zone de Nieuwmarkt, par exemple.

La zone entre le Vondelpark et Museumplein – avec plusieurs adresses de catégorie moyenne – est pratique pour les amateurs de musées, mais un peu assoupie le soir. Si vous préférez la foule aux œuvres d'art, le quartier multiculturel de De Pijp est tout indiqué ; les hôtels n'abondent pas, mais certains établissements sont relativement bon marché.

L'offre hôtelière étant tout de même chiche, séjourner à Amsterdam avec un petit budget exige qu'on se soit organisé des mois à l'avance. On ne peut que regretter qu'il n'y ait pas plus d'adresses bon marché sur la ceinture des canaux ouest. Certains hôtels branchés du quartier des docks de l'Est offrent quelques chambres à bon prix, mais ce secteur ne se distingue pas par son animation. Chercher moins cher pourrait se révéler risqué. Mieux vaut dans ce cas opter pour une auberge de jeunesse.

En règle générale, comptez 18 à 30 € pour un lit en auberge de jeunesse, et 80 à 300 € pour une chambre double propre en haute saison (été). Sauf en catégorie supérieure, n'espérez pas de grands espaces ni la clim, et si votre établissement n'a pas d'ascenseur, il vous faudra sans doute monter vos bagages via des escaliers parfois très raides. Dans les établissements meilleur marché, les salles de bains sont rarement privatives. Si les étés sont courts, la chaleur risque d'être pesante en juillet-août – et dormir la fenêtre ouverte peut vous exposer aux moustiques près des canaux.

L'un des grands plaisirs d'Amsterdam consiste à s'installer dans de confortables établissements aménagés et restaurés avec créativité, des hôtels design notamment.

PETITS BUDGETS

☗ BICYCLE HOTEL AMSTERDAM

☎ 679 34 52 ; www.bicyclehotel.com ; van Ostadestraat 123

Situé dans le quartier De Pijp, cet hôtel simple mais confortable propose des vélos à la location et le personnel se fera un plaisir de vous indiquer des itinéraires originaux. Petit déjeuner compris.

☗ HOTEL BEMA

☎ 679 13 96 ; www.bemahotel.com ; Concertgebouwplein 19b ; 🖳 ⑤

Situé dans le quartier chic du Concertgebouw, cet hôtel détonne mais insuffle un petit quelque chose de décalé tout à fait bienvenu. Les chambres sont simples et propres. Location d'appartements possible.

☗ HOTEL KAP

☎ 624 59 08 ; www.kaphotel.nl ; Den Texstraat 5b ; 🖳

Dans une paisible rue résidentielle, cet hôtel simple, propre et bien tenu dispose de 15 chambres, la plupart avec sdb privative. Joli jardin clos et salle de petit déjeuner. Tout est à deux pas : musées, marchés et bars.

☗ HOTEL PRINSENHOF

☎ 623 17 72 ; www.hotelprinsenhof. com ; Prinsengracht 810 ; ⑤ ⑤

Situé non loin de l'animation d'Utrechtsestraat. Les chambres sont impeccables et spacieuses (celles du grenier sont adorables) et l'accueil est chaleureux. Seules 2-3 chambres ont des installations privatives : réservez bien à l'avance.

☗ HOTEL REMBRANDT

☎ 627 27 14 ; www.hotelrembrandt.nl ; Plantage Middenlaan 17 ; ⑤ ⑤

Dans un quartier résidentiel verdoyant, près du zoo Artis (p. 121), le Rembrandt offre des doubles d'un excellent rapport qualité/prix. Chambres avec TV, téléphone et de quoi préparer thé et café. Son plus bel atout : la salle de petit déjeuner ornée de peintures du XVIIe siècle.

☗ INTERNATIONAL BUDGET HOSTEL

☎ 624 27 84 ; www.international budgethostel.com ; Leidsegracht 76 ; 🖳 ✕

Magnifique emplacement au bord du canal, à deux pas de bars et *coffee shops*. Le salon invite à bavarder avec les autres voyageurs. Seul petit inconvénient de cette bâtisse du XVIIe : des chambres un peu étroites.

☗ STAYOKAY VONDELPARK/ZEEBURG

☎ 639 29 29 ; www.stayokay.com ; Vondelpark : Zandpad 5
Zeeburg : Timorplein 21 ; ⑤

Ces deux auberges de jeunesse font partie d'une chaîne néerlandaise. La vaste auberge de Vondelpark est en plein cœur du parc du même nom, tandis que celle de Zeeburg, à l'est de la ville, très stylée, a ouvert ses portes en 2007.

🏠 CATÉGORIE MOYENNE

🏠 BETWEEN ART & KITSCH B&B

☎ 679 04 85 ; www.between-art-and-kitsch.com ; Ruysdaelkade 75-2 ; 🖥

Tout près du Rijksmuseum, ce Bed & Breakfast offre de grandes chambres confortables, avec sdb privatives. Frigo, thé et café, notamment, sont disponibles dans la pièce commune.

🏠 HOTEL AMISTAD

☎ 624 80 74 ; www.amistad.nl ; Kerkstraat 42 ; 🖥 ✖

La déco de cet hôtel gay stylé est dans les tons rouges. Le buffet de petit déjeuner est ouvert jusqu'à 13h avant de se transformer en café Internet ; on y loue aussi de superbes appartements et penthouses.

🏠 HOTEL ARENA

☎ 850 24 00 ; www.hotelarena.nl ; 's-Gravesandestraat 51 ; 🖢 🖥

Cet ancien monastère puis auberge de jeunesse est devenu en 2000 un hôtel stylé. Le lustre n'est déjà plus ce qu'il était, mais les groupes semblent encore apprécier le bar, le club et le restaurant sur place. Vu l'emplacement, il vous faudra prendre le tram.

🏠 HOTEL BROUWER

☎ 624 63 58 ; www.hotelbrouwer.nl ; Singel 83 ; ✖

Dans une charmante demeure du XVIIe sur les rives du Singel, cet hôtel de famille (ouvert en 1917) a bénéficié d'importantes rénovations qui en font une bonne adresse. Poutres apparentes et vue sur le canal. Des peintres néerlandais du XVIIe au XXe siècle donnent leur nom aux 6 chambres doubles et aux 2 simples.

🏠 HOTEL DE FILOSOOF

☎ 683 30 13 ; www.hotelfilosoof.nl ; Anna van den Vondelstraat 6 ; 🖢 🚼

Les 38 chambres, petites mais bien conçues, sont toutes dédiées à un philosophe, écrivain ou penseur. Un endroit idéal pour méditer. Si le joli jardin n'est pas assez propice à la réflexion pour vous, le Vondelpark est vraiment tout proche.

🏠 HOTEL FITA

☎ 679 09 76 ; www.fita.nl ; Jan Luijkenstraat 37 ; 🖥 ✖

Cet hôtel de 16 chambres, géré en famille, est plein de surprises : les chambres (pour non-fumeurs) sont modernes et bien tenues, le petit déjeuner excellent, et l'accès Internet wi-fi, la blanchisserie et les appels téléphoniques vers l'Europe et l'Amérique du Nord sont gratuits. L'emplacement est idéal pour faire les musées comme les boutiques.

⌂ HOTEL NEW AMSTERDAM
☎ 522 23 45 ; www.hotelnew
amsterdam.nl ; Herengracht 13-19 ; ♿
Cet hôtel de 25 chambres se
caractérise par un grand souci du
détail : petites attentions dans les
chambres, personnel sympathique
et clientèle détendue. Pour un séjour,
nous recommandons une double
donnant sur le canal ou une suite.

⌂ HOTEL ORLANDO
☎ 638 69 15 ; www.hotelorlando.nl ;
Prinsengracht 1099 ; 🔲 🔲 🔲
Les 5 chambres de cette belle
demeure du XVIIᵉ sont spacieuses,
avec de hauts plafonds, une déco
mêlant l'ancien et le nouveau, et des
équipements dignes d'un 5 étoiles
(l'hôtel n'en a que 3) comme l'accès
Internet et le minibar.

⌂ HOTEL V
☎ 662 32 33 ; www.hotelv.nl ;
Victorieplein 42 ; 🔲
Petit hôtel branché au style
minimaliste agrémenté de touches
de couleurs vives et d'une agréable
cheminée. Avec ses 24 chambres,
c'est une adresse intimo et élégante
aux services (Internet wi-fi) destinés
à satisfaire une clientèle dans le
vent, qui appréciera également la
proximité des bars de De Pijp.

⌂ HOTEL VAN ONNA
☎ 626 58 01 ; www.hotelvanonna.nl ;
Bloemgracht 102/104/108

Au centre de Jordaan, l'hôtel compte
3 édifices, très bien situés sur
Bloemgracht (canal des fleurs). L'un
d'eux est un monument historique
classé (Hendrik de Keizer) de 1644.
Le propriétaire Loek van Onna, né
sur place, a fondé l'hôtel il y a plus
de trente ans.

⌂ MISC
☎ 330 62 41 ; www.hotelmisc.com ;
Kloveniersburgwal 20 ; 🔲
Près du quartier Rouge, dans une
maison du XVIIᵉ sur les rives du
canal, ce petit nid original loue
6 chambres à la déco unique
(Design, Wonders, Rembrandt,
Retro, Afrika et Baroque). Les plus
agréables sont celles, plus vastes,
qui donnent sur l'eau. Le petit
déjeuner servi jusqu'à midi ravira les
oiseaux de nuit.

⌂ HOTEL PIET HEIN
☎ 662 72 05 ; www.hotelpiethein.nl ;
Vossiusstraat 52-53 ; 🔲
Non loin des musées et
surplombant le Vondelpark,
cet hôtel impeccable offre des
chambres variées (les simples
"business" sont très bien). Le bar
tranquille reste ouvert tard. Le wi-fi
est disponible dans tout l'hôtel et le
petit déjeuner est correct.

⌂ SEVEN BRIDGES
☎ 623 13 29 ; www.sevenbridgeshotel.nl ;
Reguliersgracht 31 ; 🔲 👤

Merveilleuse atmosphère teintée d'excentricité et superbe panorama depuis cet hôtel qui doit son nom à sa vue sur 7 ponts. Ses 8 chambres sont décorées avec goût de tapis orientaux et d'objets anciens. Petit plus, le petit déjeuner est servi en chambre !

🏠 WINDKETEL

www.windketel.nl ; Watertorenplein 2-L
Une guesthouse originale, à l'ouest de Jordaan, à 15 min à pied du centre-ville, dans un petit château d'eau octogonal à deux étages. L'intérieur a été rénové récemment.

🏠 CATÉGORIE SUPÉRIEURE

🏠 AMRÂTH

☎ **552 00 00 ; www.amrathamsterdam. com ; Prins Hendrikkade ;** ❌ 🚫 💻 🚹
Somptueux hôtel design aménagé dans la fascinante Scheepvaarthuis, avec vue sur les canaux et l'IJ. Les 165 chambres spacieuses à la belle hauteur de plafond possèdent une touche très contemporaine tout en restant classiques.

🏠 BANKS MANSION AMSTERDAM

☎ **420 00 55 ; www.banksmansion.nl ; Herengracht 519-525 ;** ❌ 💻 🚹
L'un des hôtels les plus réputés d'Amsterdam : 51 chambres de style contemporain, de tailles variées,

mêlent avec harmonie touches Art déco et équipements modernes du type écrans plasma. Petit déjeuner, boissons et en-cas compris.

🏠 BILDERBERG HOTEL JAN LUYKEN

☎ **573 07 30 ; www.janluyken.nl ; Jan Luykenstraat 58 ;** 🚫 🚹
Les amoureux des musées trouveront idéal l'emplacement de cet hôtel mésestimé, entre le Rijksmuseum et le Vondelpark. Malgré ses 62 chambres (certaines sont un peu petites), c'est une adresse discrète et paisible qui a su garder une atmosphère intime.

🏠 BLACK TULIP HOTEL

☎ **427 09 33 ; www.blacktulip.nl ; Gelderskade 16 ;** 🚫 💻
Au bord du canal, cet établissement central compte 9 excellentes chambres avec TV câblée et accès Internet wi-fi, et 7 dotées d'équipements (accessoires SM/ bondage) que nous laissons à l'appréciation de chacun. Une adresse orientée vers une clientèle gay, unique en son genre.

🏠 COLLEGE HOTEL

☎ **571 15 11 ; www.thecollegehotel.com ; Roelof Hartstraat 1 ;** 🚫 ❌ 💻 ❌ 🚹
Cette ancienne école du XIXe est une bonne adresse, bien qu'un peu excentrée. Couleurs discrètes, style sans chichis, TV écran plat et

accès Internet wi-fi. Avec une vraie originalité, ce sont des étudiants en hôtellerie qui gèrent l'hôtel.

🏠 DYLAN AMSTERDAM

☎ 530 20 10 ; www.dylanamsterdam.com ; **Keizersgracht 384** ; 🚻 🔀 🖳 ✖ 🛋
L'ancien hôtel Blakes est une adresse chic sans affectation située sur le charmant Keizersgracht – idéal pour le shopping. Dans une maison du XVIIe, les 41 chambres offrent des décos et couleurs variées, du rouge framboise à la laque noire.

🏠 GRAND AMSTERDAM SOFITEL DEMEURE

☎ 555 31 11 ; www.thegrand.nl ; **Oudezijds Voorburgwal 197** ;
🚻 🔀 🖳 ✖ 🛋
Une adresse royale (c'est ici que s'est mariée la reine Beatrix). Cet ancien hôtel de ville (1808-1987) abrite des salles grandioses et de vastes chambres avec vue superbe sur le canal. Le Café Roux sert une cuisine française tout à fait traditionnelle.

🏠 HOTEL AMBASSADE

☎ 555 02 22 ; www.ambassade-hotel.nl ; **Herengracht 341** ; 🚻 🔀 🖳 ✖ 🛋
Adresse charmante installée dans 10 demeures du XVIIe, avec 59 chambres à la déco unique pleine de style. Beaucoup ont vue sur les canaux (Herengracht ou Singel) et toutes sont équipées de

l'accès Internet ADSL. Les ouvrages dédicacés de la bibliothèque attestent de la réputation de l'endroit auprès des gens de lettres.

🏠 HOTEL DE L'EUROPE

☎ 531 17 77 ; www.leurope.nl ; **Nieuwe Doelenstraat 2-8** ; 🚻 🔀 🖳 ✖ 🛋 🛋
Cet élégant hôtel victorien bâti en 1899 jouit d'un emplacement hors pair avec un panorama majestueux sur l'Amstel. Toutes les chambres sont belles, mais profitez du site en déboursant un peu plus pour avoir la vue sur l'Amstel. En été, le café bien nommé La Terrasse est un incontournable.

🏠 HOTEL PULITZER

☎ 523 52 35 ; www.luxurycollection/ pulitzer ; **Prinsengracht 315-331** ;
🔀 🖳 ✖ 🛋
Avec 230 chambres élégantes réparties dans 25 maisons du XVIIe sur les canaux, le Pulitzer accomplit l'exploit de rester intime. Les chambres avec vue sur canal ou jardin sont équipées de tout le confort moderne et l'hôtel abrite, entre autres plaisirs, un bar à cigares et un centre de fitness ouvert 24h/24. Sans oublier le plus joli bateau pour sillonner les canaux amstellodamois !

🏠 HOTEL VONDEL

☎ 612 01 20 ; www.hotelvondel.nl ; **Vondelstraat 28-30** ; 🖳 ✖ 🛋

À 5 min à pied du Rijksmuseum et de Leidseplein, dans un coin paisible, cet hôtel stylé et méconnu propose des chambres variées, de la petite double à la suite, les meilleures étant les Vondel, de vastes doubles. Tout le confort moderne (dont l'accès Internet wi-fi), des chambres non-fumeurs et un bar chic.

INTERCONTINENTAL AMSTEL AMSTERDAM

☎ 622 60 60 ; www.interconti.com ; **Professor Tulpplein 1 ;** 🚻 💻 ✕ 🛗
Ouvert en 1867, cet hôtel extravagant, tout de marbre et de cristal, est un temple de l'élégance à l'ancienne. Service irréprochable, équipements sophistiqués (dont un excellent spa-salle de gym). Son restaurant La Rive sert une cuisine française/méditerranéenne parmi les meilleures d'Amsterdam.

LLOYD HOTEL

☎ 561 36 36 ; www.lloydhotel.com ; **Oostelijke Handelskade 34 ;** 🚻 💻 🛗
Cet ancien hôtel d'émigrants (quartier des docks), très tendance, est l'adresse la plus controversée de la ville. Les 116 chambres vont de 1 à 5 étoiles. Il y existe une "ambassade culturelle" et, parfois, la douche est en plein milieu de la chambre ! Alors, amusant ou agaçant ?

NH HOTEL DOELEN

☎ 554 06 00 ; www.nh-hotels.com ; **Nieuwe Doelenstraat 24 ;** 🚻 💻 ✕ 🛗
Cette adresse est une valeur sûre, bien située et nimbée de charme à l'ancienne. Amateurs d'histoire de l'art, sachez que c'est sur un mur de cet hôtel que Rembrandt a peint *La Ronde de nuit*.

SEVEN ONE SEVEN

☎ 427 07 17 ; www.717hotel.nl ; **Prinsengracht 717 ;** ✕ 💻
Le Seven One Seven est maître dans l'art du service personnalisé. Cette auberge classique du XIXᵉ n'a que 8 chambres (6 grandes suites et 2 grandes chambres de luxe), toutes décorées avec faste. La perfection à l'état pur pour qui veut se sentir comme à la maison, en mieux.

'T HOTEL

☎ 422 27 41 ; www.thotel.nl ; **Leliegracht 18 ;** 💻 ✕ 🛗
Énième maison du XVIIᵉ aménagée en hôtel au bord du canal, le 't hotel sort du lot grâce à ses 8 chambres confortables (avec vue sur le canal) et à son mobilier contemporain qui compose avec l'architecture existante un décor élégant. Excellent buffet de petit déjeuner, accès Internet sans fil gratuit et air pur garanti sans cigarette.

CARNET PRATIQUE

TRANSPORTS
DEPUIS/VERS AMSTERDAM

TRAIN

Les trains nationaux et internationaux arrivent à Centraal Station (carte p. 38-39, E2), la gare ferroviaire d'Amsterdam. Le train à grande vitesse **Thalys** (☎ 0892 35 35 35 ou 3635 ; www.thalys.com) rallie Paris et Amsterdam (4 heures 11) via Bruxelles 6 fois par jour depuis la gare du Nord.

De nombreux trains en provenance de Rotterdam (1 heure) et La Haye (1 heure) arrivent également à Centraal Station. Consultez www.ns.nl pour les horaires et la réservation aux Pays-Bas.

AVION

L'aéroport international Schiphol (☎ 794 08 00 ; www.schiphol.nl), à 18 km au sud-ouest du centre-ville, est le quatrième aéroport d'Europe.

Il est pourvu d'une consigne et de casiers (à partir de 5 €/jour). Lorsque vous arriverez au centre-ville d'Amsterdam, vous tomberez forcément sur Schiphol Plaza, la zone commerçante se déployant autour de la gare ferroviaire.

Amsterdam est à 1 heure 30 de vol de Paris. Air France et KLM, notamment, assurent de nombreuses liaisons quotidiennes depuis l'aéroport CDG. La compagnie *low-cost* Transavia relie Nice, Ajaccio et Bergerac (Dordogne) à Amsterdam.

Bruxelles est à environ 1 heure de vol d'Amsterdam. La principale compagnie aérienne à desservir les deux capitales est KLM.

Vous trouverez de nombreuses liaisons quotidiennes avec EasyJet ou KLM depuis/vers Genève (environ 1 heure 40 de vol).

À partir du Canada, seuls KLM et Northwest Airlines assurent des vols directs entre Montréal et Amsterdam (7 heures 50 de vol). Air Canada dessert Amsterdam avec une escale.

VOYAGER FACILE : LE TRAIN

Amsterdam est très bien reliée à Paris et aux autres capitales européennes. Si les tarifs des compagnies aériennes *low-cost* peuvent paraître tentants, en tenant compte des horaires peu pratiques, de l'éloignement des aéroports et du prix d'une éventuelle course en taxi, le train est souvent plus pratique et parfois moins onéreux. Au début de 2009, l'installation de nouvelles voies pour train à grande vitesse entre Amsterdam et la frontière belge sera terminée, facilitant d'autant les trajets vers la France et les destinations du Sud.

SE RENDRE EN VILLE À PARTIR DE L'AÉROPORT
Train
De 6h à minuit, des trains relient l'aéroport à Centraal Station (carte p. 38-39, E2) toutes les 15 min. Le trajet dure 20 min et coûte 3,80 €. Si vous avez de la monnaie, achetez vos billets aux distributeurs ; sinon, adressez-vous au guichet (0,50 €/supplément).

Bus
La navette **Connexion** (☎ 038-339 47 41 ; www.airporthotelshuttle.nl ; aller simple/aller-retour 13,50/22 €) dépose les passagers à leur hôtel. Les départs ont lieu toutes les 30 min de 6h à 21h ; le comptoir se trouve à côté de la porte des arrivées n°4 ("Arrivals 4").

Taxi
Un taxi met 20-30 min pour rejoindre le centre-ville (plus aux heures de pointe) et coûte 40-45 €. Les taxis collectifs (à partir de 21 €) se réservent à l'adresse www.schiphol.nl.

Compagnies aériennes
Air Canada (☎ 1 888 247 2262 ; www.aircanada.ca)
Air France (☎ 820 820 820 ; www.airfrance.fr)
EasyJet (www.easyjet.com)
KLM (☎ 0 892 702 608 ; www.klm.com)
Lufthansa (☎ 0 826 10 33 34 ; www.lufthansa.com)
Northwest Airlines (☎ 0 890 710 710 ; www.nwa.com)
SN Brussels Airlines (☎ 08 92 64 00 30 ; www.brusselsairlines.com)
Swiss International Air Lines (☎ 0 820 04 05 06 ; www.swiss.com)
Transavia (www.transavia.com)

VOITURE
Amsterdam est à environ 500 km de Paris (900 km de Genève, 285 km de Lille et 200 km de Bruxelles). On peut facilement s'y rendre en voiture par autoroute via Lille et Anvers. Comptez entre 5 et 6 heures depuis Paris, 2 heures 50 depuis Lille. À votre arrivée, le plus pratique consiste à garer votre voiture dans un parking en périphérie de la ville. Contre une somme modique acquittée pour le parking, on peut aussi se procurer des vélos gratuits ou des billets de transport en commun. Pour plus de précisions, consultez www.bereikbaaramsterdam.nl.

BUS
Eurolines (☎ 0892 899 091 ; www.eurolines.fr ; gare internationale de Paris-Gallieni, BP 313, 93541 Bagnolet Cedex) relie Paris (et de nombreuses autres villes françaises et européennes) à Amsterdam. De Paris, comptez 8 heures de trajet. Les bus arrivent

à Amstelstation, au sud du centre-ville d'Amsterdam, gare routière reliée à Centraal Station par le métro.

....

CIRCULER DANS AMSTERDAM

Le centre d'Amsterdam est assez compact et il n'y a rien de tel que de s'y déplacer à pied ou à vélo. Les transports en commun – tramway, métro et bus – sont gérés par le **Gemeente Vervoerbedrijf** (GVB ; www.gvb.nl). Il est souvent plus pratique pour les touristes de prendre le tram, à quelques exceptions près. Nous avons indiqué l'arrêt de tram/métro/bus le plus proche après le pictogramme $\boxed{\text{Ⓣ}}$ / $\boxed{\text{M}}$ / $\boxed{\text{Ⓑ}}$ dans chaque rubrique.

L'excellent site Internet www.9292ov.nl (en néerlandais uniquement) calcule les itinéraires, le coût et le temps de trajet. Entrez l'adresse désirée puis le mot "Amsterdam" à la ligne "Plaats".

Au moment de notre visite, les Pays-Bas s'apprêtaient à abandonner les *strippenkaarten* (bandes de tickets détachables ; voir l'encadré sur cette page) pour un pass appelé *OV-chipkaart*. Avec lui, les trajets coûteront une somme forfaitaire par trajet, à laquelle s'ajoutera un tarif au kilomètre. Les conducteurs de tram et les distributeurs automatiques GVB vendent des pass aller simple (2,50 €). Si vous restez longtemps,

AU REVOIR LES STRIPPENKAARTEN

À partir de 2009, vous n'utiliserez plus les *strippenkaarten* (bandes de tickets détachables) dans les trams et les bus. Un ticket était nécessaire pour le trajet et un autre pour chaque zone de la ville traversée. Vous pourrez désormais vous procurer un *OV-chipkaart*, un pass unique qui vous coûtera une somme forfaitaire.

cela vaut la peine d'investir dans une *chipkaart* à 7,50 €, valable 5 ans ; on peut ajouter jusqu'à 30 € de crédit chaque fois qu'on la recharge, et les trajets reviennent moins cher.

La gare ferroviaire Centraal Station étant en travaux au moment de la rédaction de ce guide, les stations de tram avaient été déplacées. Pour trouver les trams nos 4, 9, 16, 24 et 25 : marchez vers la gauche (à l'est) en sortant de la gare.

TRAMWAY, MÉTRO, BUS ET BUS DE NUIT

Les trams, rapides et fréquents, circulent entre 6h et 0h30. Il y a des conducteurs dans la plupart des trams mais n'hésitez pas à acheter un *OV-chipkaart* au préalable. Dans les trams avec conducteur, entrez par l'avant-dernière porte. En montant et en descendant, validez votre pass en le glissant devant les capteurs de la machine.

Le métro et les bus desservent principalement les zones périphériques. Le petit bus Stop/Go va de Waterlooplein (carte p. 122-123, B4) à Oosterdok (carte p. 134-135, A4) et au port via Prinsengracht entre 9h et 17h30 ; il faut le héler car il n'a pas d'arrêts précis. Les *nachtbussen* (bus de nuit) circulent entre 1h et 6h. Leurs itinéraires partent de Centraal Station ; service toutes les heures approximativement.

PASS DE TRANSPORT
La GVB (tramway, métro et bus) propose des pass pour 24/48/72/96 heures (7/11,50/14,50/17,50 €), disponibles dans les bureaux VVV (p. 184), les distributeurs des stations de métro (jusqu'à 72 heures) et auprès des conducteurs de tram (24 heures uniquement). L'All in 1 Travel Ticket (pour 24/48/72/96 heures ; 12,95/17/19,70/22,40 €) comprend l'aller-retour Schiphol/Amsterdam ; achetez-le au comptoir Holland Tourism à l'aéroport. L'I amsterdam Card (p. 185) comprend aussi un forfait pour les transports.

FERRY
Des ferrys gratuits rallient Amsterdam-Noord (départ des quais derrière Centraal Station). Le trajet jusqu'à Buiksloterweg est le plus direct (5 min, 24h/24). Un bateau rallie NDSM-werf (15 min) entre 7h et minuit (1h le samedi), et un autre va jusqu'à IJplein (de 6h30 à minuit). Transport de vélo autorisé.

VÉLO
Il arrive souvent qu'on loue un vélo vers la fin du séjour en regrettant de ne pas l'avoir fait plus tôt ! Nous conseillons vivement cette option, d'autant que les agences de location sont omniprésentes. Toutes exigent une pièce d'identité et un dépôt de garantie, en espèces ou par carte de crédit. Elles proposent divers modèles, notamment le vélo à une vitesse avec frein à rétro-pédalage. Des freins à main et plusieurs vitesses coûtent un peu plus cher. **Holland Rent-a-Bike** (carte p. 38-39, C4 ; ☎ 622 32 07 ; Damrak 247 ; 15 €/24h) dans la Beurs van Berlage (p. 41), est proche de Centraal Station. **Bike City** (carte p. 60-61, C5 ; ☎ 626 37 21 ; www.bikecity.nl ; Bloemgracht 68-70 ; 14,50 €/24h) n'affiche aucune publicité sur certains de ses vélos. Un bon moyen de se fondre dans la foule des habitants.

Le site www.routecraft.nl fournit les itinéraires de pistes cyclables. Cliquez sur "Bikeplanner" pour la page (presque essentiellement) en anglais.

TAXI
Vous trouverez des stations de taxis à Centraal Station (carte p. 38-39, E2), Leidseplein (carte p. 82-83, A4)

et près de quelques hôtels. Sinon, appelez par téléphone ; **Taxicentrale Amsterdam** (TCA ; ☎ 777 77 77) est la compagnie la plus fiable. Les tarifs s'élèvent généralement à 3,40 € (prise en charge), plus 1,94 € le kilomètre – ainsi, une course de Leidseplein au Dam coûte environ 12 €. Il arrive que les chauffeurs ne puissent faire la monnaie sur les grosses coupures (disent-ils) et souvent ils ne connaissent pas les petites rues. Aux stations, repérez ceux dont le pare-brise porte une licence rose (signe qu'ils sont autorisés à emprunter les couloirs de tram, et que le chauffeur a passé un examen de connaissance des rues). Il n'est pas nécessaire de prendre le premier de la file. Tard le soir, on peut parfois négocier un tarif fixe avant de monter à bord.

Judicieuse alternative, les **tuk-tuks** (☎ 0900 993 33 99 ; www.tuktukcompany. nl, en néerlandais) et les **vélos-taxis** jaunes (www.fietstaxiamsterdam.nl, en néerlandais) pratiquent souvent des tarifs plus économiques. On les hèle dans la rue.

RENSEIGNEMENTS
ARGENT
Amsterdam n'est pas aussi coûteuse que d'autres grandes villes d'Europe. Prévoyez 50 à 80 €/jour en plus de l'hébergement. Beaucoup de restaurants proposent des menus (3 plats) d'un bon rapport qualité/ prix, et les activités gratuites sont nombreuses (p. 31). Pour les taux de change, consultez la page 2 de couverture ou www.xe.com.

De nombreux magasins et restaurants n'acceptent pas les cartes de crédit. Seules quelques banques du centre changent les chèques de voyage, moyennant des commissions exorbitantes. On trouve facilement des DAB mais il y a souvent la queue. Pensez à faire provision d'espèces quand c'est possible.

CIRCUITS ORGANISÉS
À PIED
Un guide pourra vous faire connaître certains détails qui passeraient inaperçus autrement et répondra à vos questions. **Mee in Mokum** (☎ 625 13 90 ; www. gildeamsterdam.nl ; 4 €) propose les circuits les moins chers, et souvent les plus étonnants, conduits par des retraités bénévoles qui ont souvent une foule d'anecdotes personnelles à raconter. L'agence **Like-A-Local** (www.like-a-local.com) organise des circuits, la visite de maisons et des repas avec des Amstellodamois. Pour l'art et l'architecture, adressez-vous à **Artifex** (☎ 620 81 12 ; www.artifex-travel.nl, en néerlandais), ou à l'agence moins onéreuse **Urban Home & Garden Tours** (☎ 688 12 43 ; www.uhgt. nl ; à partir de 26,50 €). Le Prostitution Information Centre (p. 43) propose des visites à De Wallen (le quartier Rouge).

CARNET PRATIQUE

EN BATEAU

De loin la meilleure option, le **St Nicolaas Boat Club** (carte p. 82-83, A3 ; www. amsterdamboatclub.com) dispose de petits bateaux ouverts capables de naviguer sur les canaux les plus étroits. Leurs capitaines sont aussi très divertissants et ne demandent qu'une contribution à la fin de la visite. Inscrivez-vous chez Boom Chicago (p. 92). S'il pleut et qu'il faut donc prendre un bateau vitré et plus grand, **Meyers** (carte p. 38-39, D3 ; ☎ 623 42 08 ; www.meyersrondvaarten. nl, en néerlandais ; Damrak 4 ; 7,50/3,75 €) est la compagnie la moins chère (emplacement pratique au sud de Centraal Station).

Pour admirer l'industrie ancienne et l'architecture nouvelle sur l'IJ, prenez un bateau de l'**Amsterdam Public Transport Museum** (☎ 0900 423 11 00 ; www. museum-ijveren-amsterdam.nl, en néerlandais ; demi-visite/visite complète 4,50/3 €, 3 €/vélo). Ils partent du quai 14 derrière Centraal Station le dimanche uniquement (fin mars à fin octobre). Consultez les horaires sur le site Internet.

ÉLECTRICITÉ

Voltage à 220V (50Hz) et prises européennes rondes à deux fiches.

HANDICAPÉS

Amsterdam est modérément équipée pour accueillir les voyageurs à mobilité réduite. La plupart des bureaux, musées, stations de métro et bâtiments publics sont pourvus d'ascenseurs et/ou de rampes et de toilettes adaptées. Mais nombre d'hôtels pour petits budgets et de catégorie moyenne sont dans d'anciens bâtiments, aux escaliers raides et sans ascenseur. Quant aux rues pavées, elles malmènent les fauteuils roulants. Les restaurants sont en général au rez-de-chaussée (avec parfois quelques marches). Les personnes handicapées bénéficient de réductions dans les transports. Les lignes de tram nos 1, 5, 13, 17 et 26 sont accessibles aux fauteuils roulants, ainsi que tous les bus et stations de métro. Dans ce guide, nous avons indiqué le pictogramme ♿ uniquement dans les endroits où l'entrée *et* les toilettes sont accessibles. L'Uitburo (encadré p. 93) et le VVV (p. 184) vous renseigneront sur l'accessibilité des salles de spectacle et des musées. Pour d'autres questions, contactez le **Stichting Gehandicapten Overleg Amsterdam** (SGOA, Forum des handicapés d'Amsterdam ; ☎ 577 79 55 ; www.sgoa.nl, en néerlandais ; Plantage Middenlaan 141).

HEURES D'OUVERTURE

Les administrations et les banques ouvrent de 9h à 17h du lundi au vendredi, et les commerces généralement de 10h ou 11h à 18h (ouverture plus tardive le lundi matin). Le dimanche, ils sont fermés ou bien n'ouvrent que quelques heures. Souvent, ils ferment plus tard le jeudi soir. Les épiceries restent en principe ouvertes jusqu'à 20h au moins. Les restaurants servant le déjeuner ouvrent à 11h ; pour le dîner, ils ouvrent à 18h. Si beaucoup ne ferment pas avant minuit, la cuisine ne fonctionne plus dès 22h. Très peu de restaurants ouvrent spécialement pour le petit déjeuner. Certains cafés ouvrent à 9h ou plus tôt, mais plus couramment à 10h. Beaucoup de restaurants ferment le dimanche et/ou le lundi. Les cafés et les bars ferment à 1h en semaine, et 3h le week-end ; quelques *nachtbars* (bars nocturnes) ouvrent et ferment 2 heures plus tard. Les discothèques ferment à 4h ou 5h. Presque tous les musées ferment à 17h.

INTERNET

Les cybercafés ne sont guère courants, mais la bibliothèque municipale (p. 136) possède des ordinateurs en accès libre, et beaucoup de *coffee shops* en ont un ou deux. La connexion wi-fi est très répandue. Voici quelques sites utiles :

Amsterdam Info (www.amsterdam.info/fr/). Pour toutes sortes d'informations touristiques et d'idées de voyages. En français.

Eastern Docklands Amsterdam (www.easterndocklands.com). Itinéraires à vélo et à pied sur les docks de l'Est. En anglais.

I amsterdam (www.iamsterdam.nl). Site officiel de la ville d'Amsterdam. En anglais.

Le cool (www.lecool.com). Newsletter hebdomadaire sur les fêtes, manifestations artistiques, etc. En anglais.

NL Streets (www.nlstreets.nl). Visite virtuelle des meilleurs quartiers commerçants. En anglais.

Office néerlandais du Tourisme et des Congrès (www.holland.com/fr). Nombreux renseignements, liens et adresses. En français.

SpecialBite (www.specialbite.com). Nouveautés et bonnes adresses gastronomiques. En anglais.

Spotted by Locals (http://amsterdam.spottedbylocals.com). Excellentes conseils sur les cafés et autres établissements du genre, mais mise à jour irrégulière. En anglais.

JOURNAUX ET MAGAZINES

Le principal journal amstellodamois, *Het Parool*, est marqué à gauche. Parmi les quotidiens nationaux, citons le journal à sensation *De Telegraaf* et le *NRC Handelsblad*, plus sérieux. L'*International Herald Tribune* comporte des pages d'actualité néerlandaise en anglais, tirées de l'*Het Financieele Dagblad*. *Amsterdam Weekly*, hebdomadaire gratuit répertoriant les diverses sorties et programmations, est aussi disponible en ligne (www.amsterdamweekly.com). *Dutch News* (www.dutchnews.nl), qui résume chaque jour les gros titres, n'est disponible qu'en ligne.

JOURS FÉRIÉS

Nieuwjaarsdag Nouvel An, 1er janvier.
Pasen (Pâques) Goede Vrijdag (Vendredi saint) ;

Eerste et Tweede Paasdag (dimanche et lundi de Pâques), fin mars/début avril.
Koninginnedag Fête de la Reine, 30 avril.
Bevrijdingsdag Jour de la Libération, 5 mai.
Hemelvaartsdag Ascension, 21 mai 2009 et 13 mai 2010.
Eerste et Tweede Pinksterdag Dimanche et lundi de Pentecôte, 31 mai et 1er juin 2009, 23 et 24 mai 2010.
Eerste et Tweede Kerstdag Noël et lendemain de Noël, 25 et 26 décembre.

De nombreux restaurants et commerces ferment 2 à 6 semaines l'été, généralement en juillet ou au début août.

OFFICES DU TOURISME
À AMSTERDAM
Principale source d'information, le **VVV** (Vereniging voor Vreemdelingenverkeer, office du tourisme néerlandais ; ☎ 0900 400 40 40 ; ☺ 9h-17h lun-ven) est toujours bondé mais le personnel est très serviable. Il réserve les chambres d'hôtels, vend des plans, des cartes de réduction et des places de théâtre. Son numéro d'information coûte 0,40 € la min ; de l'étranger, composez le ☎ 020 551 25 25 (pas de surtaxe). Voici l'adresse de ses bureaux, gérés par l'office du tourisme d'Amsterdam : **devant Centraal Station** (carte p. 38-39, E2 ; Stationsplein 10 ; ☺ réservation d'hôtel 9h-17h, infos transport et billets 7h-21h lun-ven, 8h-21h sam et dim) ; **dans Centraal Station** (carte p. 38-39, E2 ; quai 2a ; ☺ 8h-19h45 lun-sam, 9h-17h dim) ; **Leidseplein** (carte p. 82-83, B3 ;

Leidseplein 1 ; ☺ 9h-17h lun-sam, 9h-17h15 dim). Le **Holland Tourist Information** (☺ 7h-22h), qui relève aussi du VVV, est à l'aéroport de Schiphol.

EN FRANCE
À Paris, l'**Office néerlandais du Tourisme et des Congrès** (☎ 01 43 12 34 22 ; www.holland.com/fr/ ; 7 rue Auber 75009 Paris), fermé au public, donne sur son site Internet toutes sortes d'informations sur Amsterdam, avec diverses adresses pour se loger, sortir, faire du shopping, etc.

POURBOIRE
Le pourboire n'est pas obligatoire mais il est d'usage de laisser 5% à 10% dans les taxis. Au restaurant, arrondissez à l'euro ou aux 5 € supérieurs – un pourboire très généreux s'élève à 10%. Tendez l'argent au serveur en lui indiquant de vous rendre la monnaie sur la somme que vous souhaitez payer au total. Aux toilettes, soit la somme est affichée, soit on laisse 0,25 € à 0,50 €. Les portiers des discothèques reçoivent 1 € ou 2 € – seulement au moment où l'on sort de la boîte.

RÉDUCTIONS
Les plus de 65 ans (et leur conjoint de 60 ans ou plus) bénéficient de réductions dans les transports, les musées, aux concerts, etc. Les moins de 30 ans peuvent acheter le **Cultureel Jongeren Paspoort** (carte jeune

culturelle ; www.cjp.nl ; 15 €) pour des réductions substantielles dans les musées et diverses manifestations culturelles. Tout le monde peut s'offrir l'**I amsterdam Card** (www.iamsterdam.com ; pour 24/36/72 heures 33/43/53 €) : accès gratuit à la plupart des musées, aux excursions en bateau, diverses réductions et options gratuites. Cette carte comprend un pass GVB pour les transports. La **Museumkaart** (www.museumkaart.nl, en néerlandais ; adulte/moins de 24 ans 35/17,50 €), valable 1 an, donne accès gratuitement à 30 musées. On l'achète à l'Uitburo (encadré p. 93).

TÉLÉPHONE

INDICATIFS TÉLÉPHONIQUES

L'indicatif des Pays-Bas est le ☎ 31, celui d'Amsterdam le ☎ 020 (ne composez pas le 0 si vous appelez de l'étranger). Les numéros d'information gratuits commencent par ☎ 0800 ; les numéros commençant par ☎ 0900 coûtent 0,10 € à 1,30 € la minute. Composez le ☎ 0900 80 08 pour contacter les renseignements.

Pour appeler à l'étranger, composez le ☎ 00 puis l'indicatif du pays souhaité (33 pour la France, 32 pour la Belgique, 41 pour la Suisse et 1 pour le Canada) ; pour joindre un opérateur, composez ☎ 0800 04 10.

TÉLÉPHONES PORTABLES

Les numéros de téléphone portable (tarif d'appel entrant plus élevé) commencent par ☎ 06. Les Pays-Bas utilisent le système GSM 900/1800 pour la téléphonie cellulaire, compatible avec l'Europe mais pas avec l'Amérique du Nord (système GSM 1900, mais certains téléphones convertibles fonctionnent). Comptez au minimum 20 € pour une carte SIM, avec 10 € de crédit. Achetez-la dans les boutiques KPN, Telfort, Orange, T-Mobile et Vodafone.

Les cabines publiques à pièces font leur retour, quoique beaucoup n'acceptent encore que les cartes téléphoniques, disponibles dans les bureaux de poste, les bureaux VVV et GWK, et les marchands de tabac moyennant 5 €, 10 € et 20 €.

URGENCES

En cas d'urgence grave, le numéro commun à toute l'UE pour appeler une ambulance, la police et les pompiers est le ☎ 112. Dans les autres cas, composez le ☎ 0900 88 44 pour appeler la police. En cas de problème de santé bénin en dehors des heures d'ouverture, composez le ☎ 088-003 06 00, et préparez-vous à donner le code postal de votre quartier. On vous indiquera l'hôpital le plus proche.

>INDEX

Consultez aussi les index Voir *(p. 188),* Shopping *(p. 189),* Se restaurer *(p. 190),* Prendre un verre *(p. 191),* Sortir *(p. 192) et* Se loger *(p. 192).*

Pages des cartes en **gras**

◉ VOIR

Y PRENDRE UN VERRE